Elogios Antecipados a *O Espírito de São Francisco*

"O nosso papa Francisco revela na sua vida diária o que Jesus anunciou e o modo como viveu. Este pequeno livro inspirado por Francisco de Assis, modelo para o nosso papa, ajudará muitas pessoas a redescobrirem a mensagem evangélica para os dias de hoje."

– Jean Vanier, fundador de L'Arche International

"Desde a sua eleição em março de 2013, o papa Francisco, com a sua profunda espiritualidade e a sua imensa capacidade de exteriorizar o amor infinito de Deus por todos, vem inspirando milhares de pessoas em todo o mundo. A editora Alicia von Stamwitz realizou um trabalho primoroso ao organizar as mensagens do papa Francisco de modo a facilitar o manuseio deste livro como recurso de oração e reflexão. Esta obra será apreciada no futuro como memória do primeiro ano de papado de Francisco e da transformação que a sua extraordinária compreensão do Evangelho está promovendo entre o povo de Deus."

– Ron Rolheiser, O.M.I., escritor, orador e presidente da Oblate School of Theology

"O papa Francisco é sempre tão pródigo em inspirar citações, que o desafio numa coletânea como esta é fazer as escolhas mais apropriadas. Felizmente, Alicia von Stamwitz é um guia (quase) infalível."

– John L. Allen Jr., editor associado, *Crux* e *Boston Globe*

"Este não é um livro pretensioso nem arrogante. Muito pelo contrário, é um livro substancioso, discreto e convicto cujas páginas giram em torno da esperança que veio se acumulando nos dois milênios desde que Cristo esteve entre nós. Como um corpo de escritos e excertos selecionados, ele conforta profundamente o coração e revigora o sentimento religioso, muito mais do que posso sequer começar a expressar (e o digo na qualidade de alguém que professa o protestantismo desde a infância), mas isto eu sei e posso dizer: a Igreja Universal chegou a tempos novos e mais santos. Graças a Deus!"

– Phyllis Tickle, compiladora, *The Divine Hours*

"Em seu compromisso com os pobres, com a paz e com a preservação da natureza, o papa Francisco está transformando o *status quo*, questionando instituições opulentas e poderosas e ao mesmo tempo inspirando os vulneráveis e os fiéis do mundo inteiro. O modo como Francisco vive sua vida lembra-nos Cristo; a sua mensagem está chegando a adeptos de todas as religiões e também aos descrentes. Em *O Espírito de São Francisco: Palavras Inspiradoras do Papa Francisco,* Alicia von Stamwitz reuniu as passagens mais vigorosas e edificantes em torno de uma ampla variedade de temas cruciais para a saúde e o futuro dos filhos de Deus. Recomendo este livro a todos os que estão em busca de inspiração, de perspectiva e de orientação espiritual. Estas palavras do papa Francisco demonstram por que ele está se tornando um líder capaz de transformar a vida, a Igreja e o mundo – e uma dádiva agradavelmente surpreendente de Deus."

– Jim Wallis, autor de *The UnCommon Good,* *best-seller* do *New York Times* e presidente do Sojourners

"Os jovens nos observam: as nossas ações correspondem às nossas palavras? Eles – e nós – encontramos no papa Francisco uma pessoa cujas palavras sobre Jesus são corroboradas por ações a favor dos jovens, dos marginalizados, dos pobres e dos oprimidos. O papa Francisco nos faz compreender e viver o amor, a misericórdia, o perdão, a humildade, a alegria e a compaixão. Suas palavras nos convencem porque a sua vida é um exemplo indefectível de discipulado. Ele conclamou a Igreja jovem na Jornada Mundial da Juventude de 2013 a ir para as ruas... e eu acrescentaria, levando este livro! Ele é um guia admirável para encontrar Jesus."

– Bob McCarty, diretor executivo, National Federation for Catholic Youth Ministry

"Que maravilhosa coletânea de reflexões do papa Francisco! Em tempo tão curto, esse pastor relativamente desconhecido proveniente "do fim do mundo" ocupou o seu espaço na mente e no coração de milhões de pessoas de boa vontade no mundo inteiro. Ele nos transmite a alegria do Evangelho por meio de palavras simples e gestos intensos que nos tocam profundamente. Cada mensagem do Angelus, cada homilia diária, cada Audiência Geral, cada sessão de catequese e cada pronunciamento oficial do papa Francisco contém gemas de espiritualidade, pérolas de doutrina católica e mensagens de esperança para todos. Este pequeno livro oferece uma janela para o Ministério Petrino de Francisco e uma porta para o coração e a mente desse líder religioso."

– Fr. Thomas Rosica, C.S.B., CEO, Salt and Light Catholic Media Foundation, Assistente de Língua Inglesa junto à Imprensa da Santa Sé

Papa Francisco

Organizado por Alicia von Stamwitz

O ESPÍRITO DE São Francisco

PALAVRAS INSPIRADORAS DO

Papa Francisco

Sobre o Santo dos Pobres e Protetor dos Animais

Tradução

Euclides Luiz Calloni

Cleusa Margô Wosgrau

Editora Pensamento

SÃO PAULO

Título original: *The Spirit of Saint Francis – Inspiring Words from Pope Francis.*

Publicado originalmente por Franciscan Media.

Texto de acordo com as novas regras ortográficas da língua portuguesa.

1ª edição 2015.
1ª reimpressão 2016.

DADOS INTERNACIONAIS DE CATALOGAÇÃO NA PUBLICAÇÃO (CIP)
(CÂMARA BRASILEIRA DO LIVRO, SP, BRASIL)

Francisco, Papa, 1936- .
O espírito de São Francisco / palavras inspiradoras do Papa Francisco sobre o Santo dos pobres e protetor dos animais ; organizado por Alicia von Stamwitz ; tradução Euclides Luiz Calloni, Cleusa Margô Wosgrau. -- São Paulo : Pensamento, 2015.

Título original: The spirit of Saint Francis : inspiring words from Pope Francis.
ISBN 978-85-315-1912-3
1. Espiritualidade 2. Francisco, de Assis, Santo, 1181 ou 2-1226 3. Vida cristã - Autores católicos 4. Vida espiritual - Igreja Católica I. Stamwitz, Alicia von. II. Título.

15-03504 CDD-242

Índices para catálogo sistemático:
1. Vida espiritual : Igreja Católica : Cristianismo 242

Direitos de tradução para a língua portuguesa adquiridos com exclusividade pela
EDITORA PENSAMENTO-CULTRIX LTDA., que se reserva a
propriedade literária desta tradução.
Rua Dr. Mário Vicente, 368 – 04270-000 – São Paulo – SP
Fone: (11) 2066-9000 – Fax: (11) 2066-9008
http://www.editorapensamento.com.br
E-mail: atendimento@editorapensamento.com.br
Foi feito o depósito legal.

Sumário

Introdução ~ *9*

Capítulo Um ~ O Amor Infinito de Deus ~ *13*

Capítulo Dois ~ Deus Não Cansa de Perdoar ~ *31*

Capítulo Três ~ A Misericórdia Divina ~ *51*

Capítulo Quatro ~ A Oração ~ *67*

Capítulo Cinco ~ A Verdadeira Alegria ~ *85*

Capítulo Seis ~ Simplicidade e Humildade ~ *103*

Capítulo Sete ~ Lembrança Contínua dos Pobres! ~ 119

Capítulo Oito ~ O Anúncio Incessante do Evangelho ~ 139

Capítulo Nove ~ Instrumentos de Paz e Perdão ~ 159

Capítulo Dez ~ Respeitar e Proteger a Criação ~ 179

Introdução

> Muitos querem saber por que escolhi o nome Francisco. Para mim, Francisco de Assis é o homem da pobreza, o homem da paz, o homem que ama e protege a criação.
>
> – PAPA FRANCISCO, 16 DE MARÇO DE 2013

Tomando o nome de uma das figuras mais veneradas do cristianismo, o papa Francisco estabeleceu um padrão elevado para o seu papado. O legado de Francisco de Assis (1182-1226) é épico, um testamento extraordinário de amor divino e de capacidade humana de compaixão, alegria e paz. Deus abriu os olhos de Francisco para a realidade do mundo espiritual e em resposta Francisco desvencilhou-se de todo embaraço pessoal e social. Exultando na esperança, ardendo de amor, Francisco se pôs a anunciar o Evangelho de Jesus Cristo. Suas palavras, acompanhadas do testemunho da sua vida, inspiraram milhares de conversões, reformas sempre adiadas na Igreja e um movimento espiritual que continua até hoje.

Desde a sua eleição em março de 2013, o "sotaque" franciscano do papa vem se evidenciando cada vez mais. Seu otimismo, criatividade, coragem e senso de humor espirituoso lembram o santo querido. Ele também cativa seus ouvintes com simpatia e sagacidade, encarnando uma espiritualidade irresistível, moderna. Os capítulos deste livro delineiam um modo de viver que é a um só tempo fiel aos ensinamentos de Jesus e iluminado pelo espírito do "pequeno homem" de Assis. Além disso, eles revelam o caráter de um líder global cuja mensagem transcende fronteiras religiosas. Qual é, exatamente, a mensagem do papa Francisco? Em três palavras, é esta: "Deus é amor" (1 João 4,8). O amor é a energia no âmago do universo. O amor criou o mundo, o amor sustenta o mundo e o amor une o mundo. No imenso coração de Deus, o coração que pulsa no centro do universo, estamos todos unidos, somos todos um ser único. Mais pessoalmente, a esperança que o papa Francisco alimenta a cada novo dia é que encontremos o amor afetuoso e transformador de Jesus Cristo.

Uma palavra sobre a origem e a composição deste livro. As citações apresentadas nestas páginas foram selecionadas e organizadas com muito cuidado. Elas são extraídas diretamente dos documentos oficiais do Vaticano que preservam as homilias, discursos, *tweets*, audiências, orações, meditações diárias e escritos do papa Francisco. Frei Giuseppe Costa, S.D.B. (Salesianos de Dom Bosco), diretor da Livraria Editora Vaticana, fez a revisão do texto. Isso é significativo, pois por vezes as palavras do papa Francisco foram mal traduzidas ou mesmo deturpadas. Você pode ter a certeza de que as citações aqui transcritas são acuradas e preservadas em seu contexto original.

Por fim, embora os capítulos e citações tenham sido organizados numa determinada ordem, podem ser lidos ao acaso. Tome por guias a sua experiência e curiosidade. Confie nesses guias, confie em você mesmo e acredite que a mensagem que você mais precisa lhe chegará no momento oportuno. Esteja você no início, no meio ou no fim da sua jornada espiritual, que as palavras do papa Francisco o fortaleçam e lhe incutam esperança para o futuro. E que São Francisco de Assis o abençoe como abençoou seu companheiro Irmão Leão há quase oitocentos anos:

> O Senhor te abençoe e te guarde.
> Mostre a ti a Sua face e tenha misericórdia de ti.
> Volte para ti o Seu olhar e te dê a paz.
> O Senhor te abençoe!
>
> – BÊNÇÃO DE SÃO FRANCISCO DE ASSIS AO IRMÃO LEÃO

– Alicia von Stamwitz, editora

Capítulo Um

~ O Amor Infinito de Deus ~

Nas conversas comuns do dia a dia, Francisco de Assis não podia ouvir a expressão "amor de Deus" sem passar por uma espécie de transformação interior.

Se ouvisse "amor de Deus", ele imediatamente se animava, entusiasmava, inflamava, como se uma corda interna do seu coração fosse soada pelo plectro da voz externa do interlocutor...

"Muito deve ser amado o amor daquele que muito nos amou", dizia.[1]

– Tomás de Celano,
Segunda Vida de São Francisco

1. Celano citado na obra de Marion A. Habig, *St. Francis of Assisi: Writings and Early Biographies: English Omnibus of the Sources for the Life of St. Francis.* (Cincinnati: Franciscan Media, 2012), pp. 519-20. Daqui em diante, identificada como *Omnibus*. Plectro é uma pequena peça feita de marfim ou de outro material e usada para tocar a lira ou outros instrumentos de cordas.

Deus Espera Por Ti

O amor de Deus precede tudo. Deus é sempre o primeiro, chega antes de nós, precede-nos. O profeta Isaías, ou Jeremias, não lembro, dizia que Deus é como a flor da amendoeira, porque é a primeira árvore a florir na primavera, querendo dizer que Deus sempre floresce antes de nós. Quando chegamos, ele já está nos esperando, chamando-nos, fazendo-nos caminhar. Sempre se antecipa a nós. E isso se chama amor, porque Deus sempre espera por nós.

"Mas, padre, não acredito nisso, pois se o senhor soubesse... a minha vida foi tão ruim... Como posso pensar que Deus espera por mim?"

Deus espera por ti. E se foste um grande pecador, espera-te ainda mais e espera-te com muito amor, porque Ele é o primeiro. Esta é a beleza da Igreja, que nos conduz a esse Deus que nos espera! Ele precede Abraão, precede até mesmo Adão.

AUDIÊNCIA GERAL, PRAÇA SÃO PEDRO
QUARTA-FEIRA, 18 DE JUNHO DE 2014

Confiança no Amor de Deus

Deus é amor. E nós seguimos em direção à luz para encontrar o amor de Deus. Mas o amor de Deus não está dentro de nós, mesmo nos momentos de escuridão? O amor de Deus não está ali, escondido? Sim, sempre! O amor de Deus nunca nos abandona. Está sempre conosco. Tenhamos confiança nesse amor!

PALAVRAS ÀS CRIANÇAS, SALA PAULO VI,
SÁBADO, 31 DE MAIO DE 2014

Papa Francisco@Pontifex_pt · 11 de novembro de 2013
"Deus nos ama. Descubramos a beleza de amar e de sermos amados."

O Senhor Chama a Todos

Com toda a sinceridade e todo o respeito, eu gostaria de dizer aos que se sentem distantes de Deus e da Igreja, aos que têm medo e aos indiferentes: o Senhor chama a todos vocês, chama-os a fazer parte do Seu povo, chama-os com profundo respeito e amor! O Senhor os chama. O Senhor os procura. O Senhor os espera. O Senhor não faz proselitismo, oferece amor, e esse amor procura vocês, espera vocês, vocês que neste momento não acreditam nisso ou estão afastados. Esse é o amor de Deus.

ANGELUS, PRAÇA SÃO PEDRO
SEGUNDA-FEIRA, 6 DE JANEIRO DE 2014

O Amor de Deus Tem um Nome e um Rosto

O que é o amor de Deus? Não é algo vago, um sentimento genérico. O amor de Deus tem um nome e um rosto: Jesus Cristo, Jesus. O amor de Deus se manifesta em Jesus. Pois não podemos amar o ar... Amamos o ar? Não, não podemos; nós amamos pessoas, e a pessoa que amamos é Jesus, o dom do Pai entre nós. É um amor que dá valor e beleza a todo o resto; um amor que dá força à família, ao trabalho, ao estudo, à amizade, à arte, a cada atividade humana. E dá sentido também às experiências negativas, porque esse amor nos permite ir além dessas experiências, ir além, sem permanecer prisioneiros do mal. Ele nos faz ir adiante, abre-nos sempre à esperança. Sim, é isso! O amor de Deus em Jesus sempre nos abre à esperança, ao horizonte de esperança, ao horizonte último da nossa peregrinação. Assim as nossas dificuldades e quedas encontram sentido. Mesmo os nossos pecados encontram sentido no amor de Deus, porque esse amor de Deus em Jesus Cristo nos perdoa sempre, ama-nos a ponto de nos perdoar sempre.

ANGELUS, PRAÇA SÃO PEDRO

DOMINGO, 11 DE AGOSTO DE 2013

O Senhor nos Escolheu

"O Senhor se uniu a vós e vos escolheu" (Dt 7,7). Deus se uniu a nós, nos escolheu, e esse vínculo é para sempre, não porque sejamos fiéis, mas porque o Senhor é fiel e suporta a nossa infidelidade, a nossa lentidão e as nossas quedas... Podemos experimentar e saborear a ternura desse amor em cada fase da vida: em tempos de alegria e de tristeza, em tempos de saúde, de enfermidade e de doença.

HOMILIA, HOSPITAL GEMELLI E
UNIVERSIDADE SAGRADO CORAÇÃO
SEXTA-FEIRA, 27 DE JUNHO DE 2014

Papa Francisco@Pontifex_pt · 22 de março de 2014
"Jesus é a nossa esperança. Nada – nem mesmo o mal ou a morte – é capaz de nos separar do poder salvador do seu amor."

Qual é a Medida do Amor de Deus?

A caridade de Cristo, acolhida com o coração aberto, nos muda, nos transforma, nos torna capazes de amar, não segundo a medida humana, sempre limitada, mas segundo a medida de Deus. E qual é a medida de Deus? Sem medida! A medida de Deus é sem medida. Tudo! Tudo! Tudo! Não se pode medir o amor de Deus: é sem medida! E então nos tornamos capazes de amar mesmo quem não nos ama: e isso não é fácil. Amar quem não nos ama... Não é fácil! Porque se sabemos que uma pessoa não gosta de nós, também nós somos levados a não gostar dela. Mas não! Devemos amar também quem não nos ama! Opor-nos ao mal com o bem, perdoar, partilhar, acolher.

ANGELUS, PRAÇA SÃO PEDRO
DOMINGO, 22 DE JUNHO DE 2014

O Nosso Deus é Real

A luz do Tempo Pascal e do Pentecostes renova todos os anos em nós a alegria e a magia da fé: reconhecemos que Deus não é algo vago; o nosso Deus não é um Deus *spray*; Ele é concreto, não é abstrato, tem um nome: "Deus é amor". Não é um amor sentimental, emocional, mas o amor do Pai que está na origem de toda vida, o amor do Filho que morre na Cruz e ressurge, o amor do Espírito que renova o homem e o mundo. Pensar que Deus é amor nos faz muito bem, porque nos ensina a amar, a doar-nos ao próximo como Jesus se doou a nós e caminha conosco. Jesus caminha conosco na estrada da vida.

ANGELUS, PRAÇA SÃO PEDRO
DOMINGO, 26 DE MAIO DE 2013

O Maravilhoso Mistério do Amor de Deus

A consciência das maravilhas que o Senhor operou para a nossa salvação predispõe a nossa mente e o nosso coração para uma atitude de reconhecimento a Deus por tudo o que Ele nos concedeu, por tudo o que realiza para o bem do seu povo e de toda a humanidade. Aqui tem início a nossa conversão: é a resposta reconhecida ao maravilhoso mistério do amor de Deus. Quando nos damos conta do amor que Deus tem por nós, temos vontade de nos aproximar dele: isso é conversão.

AUDIÊNCIA GERAL, PRAÇA SÃO PEDRO
QUARTA-FEIRA DE CINZAS, 5 DE MARÇO DE 2014

Papa Francisco@Pontifex_pt · 7 de fevereiro de 2014
"A vida adquire outro sabor quando deixamos o amor de Deus preencher-nos."

Amar e ser Amado

O coração do ser humano aspira a grandes coisas, a valores importantes, a amizades profundas, a laços que, nas provações da vida, reforçam-se, em vez de se romper. O ser humano aspira a amar e a ser amado. Este é o nosso anseio mais profundo: amar e ser amados; e isso definitivamente. A cultura do provisório não enaltece a nossa liberdade, mas nos priva do nosso verdadeiro destino, dos nossos objetivos mais verdadeiros e autênticos. É uma vida fragmentada. É triste chegar a certa idade, olhar para trás, para o caminho que percorremos, e descobrir que foi feito de diferentes pedaços, sem unidade, sem nada de definitivo: tudo provisório... Não deixeis que vos roubem o desejo de construir coisas grandes e sólidas na vossa vida! É isso que vos leva adiante. Não vos contenteis com objetivos pequenos. Aspirai à felicidade, tende coragem, a coragem de sair de vós mesmos e de apostar em plenitude o vosso futuro com Jesus.

DISCURSO AOS JOVENS DE ABRUZZI E MOLISE,
PRAÇA DO SANTUÁRIO DE CASTELPETROSO
SÁBADO, 5 DE JULHO DE 2014

Deus é como Uma Mãe com seu Filho

Como a mãe que pega o filho no colo e lhe dá carinho, assim o Senhor fará conosco, faz conosco. Essa é a cascata de ternura que nos consola. "Como a mãe consola o filho, assim vos consolarei" (Is 66,13). Todo cristão, mas nós principalmente, somos chamados a levar esta mensagem de esperança que dá serenidade e alegria: o consolo de Deus, a Sua ternura para com todos. Mas só podemos ser esses portadores se primeiro experimentarmos a alegria de ser consolados por Ele, de ser amados por Ele. Isto é importante para que a nossa missão seja fecunda: sentir o consolo de Deus e transmiti-lo!... Não tenhais medo, o Senhor é o Senhor da consolação, o Senhor da ternura. O Senhor é Pai e diz que fará conosco como uma mãe faz com o seu filho, com toda a sua ternura.

HOMILIA, BASÍLICA DE SÃO PEDRO
DOMINGO, 7 DE JULHO DE 2013

O Amor Gera Sempre Novo Amor

O amor de Jesus Cristo dura para sempre, nunca terá fim, porque é a própria vida de Deus. Esse amor vence o pecado e dá força para se levantar e recomeçar, pois com o perdão o coração se renova e rejuvenesce. Todos nós sabemos: o nosso Pai não se cansa de amar e os seus olhos não se cansam de olhar para o caminho de casa, para ver se o filho que foi embora e se perdeu está voltando. Podemos falar da esperança de Deus: nosso Pai nos espera sempre; não só nos deixa a porta aberta, mas nos espera. Ele está envolvido nessa espera dos filhos. E esse Pai também não se cansa de amar o outro filho que, apesar de estar sempre em casa com ele, não participa da sua misericórdia, da sua compaixão. Deus não só está na origem do amor, mas em Jesus Cristo nos chama a imitar o seu modo de amar: "Como eu vos amei, amai-vos também uns aos outros" (Jo 13,34). Na medida em que os cristãos vivem esse amor, tornam-se no mundo discípulos fidedignos de Cristo. O amor não suporta ficar trancado em si mesmo. Pela sua natureza, é aberto, difunde-se e é fecundo, gera sempre novo amor.

HOMILIA, BASÍLICA DE SÃO PEDRO
SEXTA-FEIRA, 28 DE MARÇO DE 2014

Papa Francisco@Pontifex_pt · 30 de maio de 2013
"A história inteira da salvação é a história de Deus à nossa procura: Ele nos oferece amor e nos acolhe com ternura."

Levai o Evangelho a Toda Parte

Queridas famílias, queridos irmãos e irmãs, encorajo-vos a levar o Evangelho de Jesus Cristo a toda parte, também aos ambientes mais descristianizados, e especialmente às periferias da existência. Evangelizai com amor, levai a todos o amor de Deus. Dizei a todos que encontrardes pelos caminhos da vossa missão que Deus ama o homem como ele é, mesmo com suas limitações, com seus erros e seus pecados. Por isso enviou o Seu Filho, para que Ele tomasse sobre si os nossos pecados. Sede mensageiros e testemunhas da bondade infinita e da misericórdia inexaurível do Pai.

DISCURSO AOS REPRESENTANTES DO
CAMINHO NEOCATECUMENAL, SALA PAULO VI
SÁBADO, 1º DE FEVEREIRO DE 2014

Tornar Jesus Conhecido

A primeira motivação para evangelizar é o amor que recebemos de Jesus, a experiência de ser salvos por Ele que nos impele a amá-lo cada vez mais. Porém, que amor seria aquele que não sentisse a necessidade de falar da pessoa amada, de apresentá-la, de torná-la conhecida? Se não sentimos um desejo intenso de comunicar Jesus, precisamos nos deter em oração e pedir-lhe que volte a nos cativar. Precisamos implorar todos os dias, pedir a sua graça para que abra nosso frio coração e sacuda a nossa vida tíbia e superficial. Diante dele e de coração aberto, deixando que nos olhe, reconheçamos aquele olhar de amor que Nataniel conheceu no dia em que Jesus o encontrou e lhe disse: "Eu te vi quando estavas debaixo da figueira" (Jo 1,48).

EXORTAÇÃO APOSTÓLICA, *EVANGELII GAUDIUM*, 264
DOMINGO, 24 DE NOVEMBRO DE 2013

A Mensagem a Anunciar: "Deus é Amor!"

Somos todos chamados a testemunhar e anunciar a mensagem de que "Deus é amor", de que Deus não está distante nem é insensível às nossas vicissitudes humanas. Ele está perto de nós, está sempre ao nosso lado, caminha conosco para participar das nossas alegrias e das nossas dores, das nossas esperanças e dos nossos desânimos. Ele nos ama tanto e a tal ponto que se fez homem e veio ao mundo, não para julgá-lo, mas para salvá-lo (cf. Jo 3,16-17). Esse é o amor de Deus em Jesus, esse amor tão difícil de entender, mas que sentimos quando nos aproximamos de Jesus. Ele nos perdoa sempre, nos espera sempre, nos ama muito. E o amor de Jesus que sentimos é o amor de Deus.

ANGELUS, PRAÇA SÃO PEDRO
DOMINGO, 15 DE JUNHO DE 2014

Deus Faz Novas Todas as Coisas

Vede, a novidade de Deus não é como as novidades mundanas, que são todas provisórias, passam e nós sempre procuramos outras. A novidade que Deus dá à nossa vida é definitiva, não apenas no futuro, quando estaremos com Ele, mas já hoje. Deus está fazendo novas todas as coisas, o Espírito Santo nos transforma realmente e quer transformar também por nosso intermédio, o mundo em que vivemos. Abramos a porta ao Espírito, façamo-nos guiar por Ele, deixemos que a ação contínua de Deus faça de nós novos homens e novas mulheres, animados pelo amor de Deus que o Espírito Santo nos concede! Como seria bonito se cada um de vocês, à noite, pudesse dizer: Hoje na escola, em casa, no trabalho, guiado por Deus, fiz um gesto de amor para um colega, para meus pais, para um idoso! Que bonito!

HOMILIA, PRAÇA SÃO PEDRO

DOMINGO, 28 DE ABRIL DE 2013

Um Só Coraçao, Uma Só Alma

O Evangelho de João afirma que, antes da Paixão, Jesus rezou ao Pai pedindo união entre os seus discípulos, com estas palavras: "A fim de que todos sejam um. Como tu, Pai, estás em mim e eu em ti, que eles estejam em nós, para que o mundo creia que tu me enviaste" (17,21). A Igreja, na sua verdade mais profunda, é comunhão com Deus, familiaridade com Deus, comunhão de amor com Cristo e com o Pai no Espírito Santo, que se prolonga numa comunhão fraterna. Essa relação entre Jesus e o Pai é a "matriz" do vínculo entre nós cristãos: se estamos intimamente inseridos nessa "matriz", nessa fornalha ardente de amor, então podemos nos tornar verdadeiramente um só coração e uma só alma entre nós, porque o amor de Deus queima os nossos egoísmos, os nossos preconceitos, as nossas divisões interiores e exteriores. O amor de Deus extingue também os nossos pecados.

AUDIÊNCIA GERAL, PRAÇA SÃO PEDRO
QUARTA-FEIRA, 30 DE OUTUBRO DE 2013

Nenhum Ato de Amor a Deus se Perde

Quem se oferece a Deus por amor está seguro de que nenhuma das suas obras feitas com amor se perde, como também não se perde nenhuma das suas preocupações sinceras com os outros, nenhum ato de amor a Deus, nenhum esforço generoso, nenhum ato de paciência dolorosa. Tudo isso circula pelo mundo como uma força vital. Às vezes, temos a impressão de que não obtivemos nenhum resultado com os nossos esforços, mas a missão não é um negócio nem um projeto empresarial, nem mesmo uma organização humanitária; não é um espetáculo para contar quantas pessoas o assistiram em decorrência da propaganda que fizemos. É algo muito mais profundo, que escapa a toda medida. Pode ser que o Senhor se sirva do nosso empenho para derramar bênçãos em outra parte do mundo aonde jamais iremos. O Espírito Santo trabalha como quer, quando quer e onde quer; e nós nos entregamos com grande dedicação, mas sem pretender ver resultados espetaculares. Sabemos apenas que o dom de nós mesmos é necessário. Em meio à nossa entrega criativa e generosa, aprendamos a descansar na ternura dos braços do Pai. Continuemos adiante, empenhemo-nos totalmente, mas deixemos que Ele mesmo torne fecundos os nossos esforços, como melhor Lhe parecer.

EXORTAÇÃO APOSTÓLICA, *EVANGELII GAUDIUM*, 279
DOMINGO, 24 DE NOVEMBRO DE 2013

Capítulo Dois

~ Deus Não Cansa de Perdoar ~

Certo dia, [Francisco de Assis] maravilhava-se com a misericórdia do Senhor manifestada na sua bondade. Ele desejava que o Senhor lhe indicasse o caminho que ele e os seus irmãos deviam seguir, por isso recolheu-se para rezar, como costumava fazer. Permaneceu em oração por longo tempo, temeroso e trêmulo ante o Soberano de toda a Terra. Na amargura da sua alma, lembrou os anos em que vivera uma vida dissoluta, e repetia incessantemente estas palavras: "Senhor, tende piedade de mim, pecador". Aos poucos, uma alegria indescritível e uma ternura extraordinária começaram a brotar do fundo do seu coração.[2]

– Tomás de Celano,
A Primeira Vida de São Francisco

2. Regis J. Armstrong, O.F.M. Cap., J. A. Wayne Hellman, O.F.M. Conv., e William J. Short. O.F.M., orgs., *The Francis Trilogy of Thomas of Celano: The Life of Saint Francis; The Remembrance of The Desire of a Soul; The Treatise on the Miracles of Saint Francis* (Nova York: New City, 2004), p. 45. Daqui em diante citada como *Trilogy*.

São Francisco, Ensina-nos a Aceitar o Perdão de Deus

Que testemunho nos dá hoje São Francisco? O que ele nos diz, não com palavras – isso é fácil – mas com a vida?

A primeira coisa que nos diz, a realidade fundamental de que nos dá testemunho é esta: ser cristãos é ter uma relação vital com a Pessoa de Jesus, é revestir-se d'Ele, é assimilação a Ele.

Onde começa a jornada de Francisco para Cristo? Começa no olhar de Jesus na cruz, no deixar-se olhar por Ele no momento em que dá a vida por nós e nos atrai a Ele. Francisco viveu essa experiência de modo particular na pequena igreja de São Damião, rezando diante do crucifixo, que também eu poderei venerar hoje.

O crucifixo não nos fala de derrota e fracasso; paradoxalmente, fala-nos de uma morte que é vida, que gera vida, porque nos fala de amor, porque é o Amor de Deus encarnado, e o Amor não morre, e sim derrota o mal e a morte. Quem se deixa olhar por Jesus crucificado é recriado, torna-se "uma nova criatura". Tudo começa aqui: é a experiência da Graça que transforma, sermos amados sem nenhum mérito, mesmo sendo pecadores. Por isso São Francisco pode dizer, como São Paulo: "Quanto a mim, de nada me quero gloriar, a não ser na cruz de nosso Senhor Jesus Cristo" (Gal 6,14).

Dirigimo-nos a ti, Francisco, e te pedimos: Ensina-nos a permanecer diante do Crucifixo, a deixar-nos olhar por Ele, a deixar-nos perdoar, recriar pelo Seu amor.

HOMILIA, PRAÇA SÃO FRANCISCO, ASSIS
SEXTA-FEIRA, 4 DE OUTUBRO DE 2013

O Desígnio Divino de Amor e Salvação

Deus nos criou para que vivamos numa relação de profunda amizade com Ele, e mesmo quando o pecado rompeu essa relação com Ele, com os outros e com a criação, Deus não nos abandonou. Toda a história da salvação é a história de Deus que busca o homem, oferece-lhe o seu amor e o acolhe. Ele chamou Abraão para ser pai de uma multidão, escolheu o povo de Israel para estabelecer uma aliança que incluísse todos os povos e, na plenitude dos tempos, enviou o seu Filho para que seu desígnio de amor e de salvação se realizasse numa nova e eterna aliança com toda a humanidade.

AUDIÊNCIA GERAL, PRAÇA SÃO PEDRO
QUARTA-FEIRA, 29 DE MAIO DE 2013

Jesus Tira o Pecado do Mundo

Jesus é chamado o Cordeiro: Ele é o Cordeiro que tira o pecado do mundo. Poderíamos pensar: mas como, um cordeiro, tão frágil, um cordeirinho fraco, como pode tirar tantos pecados, tantas maldades? Com amor. Com a sua mansidão. Jesus nunca deixou de ser um cordeiro: manso, bom, cheio de amor, próximo dos pequeninos, próximo dos pobres. Estava ali, no meio das pessoas, curava a todos, ensinava, rezava. Jesus, tão frágil, como um cordeiro. No entanto, teve força para carregar todos os nossos pecados, todos. "Mas, padre, o senhor não conhece a minha vida; tenho um pecado que... não consigo carregar nem mesmo com um caminhão". Muitas vezes, quando examinamos a nossa consciência, encontramos alguns pecados que são realmente grandes! Mas Ele os carrega. Ele veio para isso: para perdoar, para trazer a paz ao mundo, mas primeiro ao coração.

HOMILIA, PARÓQUIA SAGRADO CORAÇÃO DE JESUS, ROMA
DOMINGO, 19 DE JANEIRO DE 2014

As Chagas de Jesus

Quando volta para o céu, Jesus leva um presente para o Pai. Que presente? As suas chagas. O seu corpo está perfeito, sem contusões, sem as feridas da flagelação, mas conserva as chagas. Jesus mostra as chagas ao Pai e diz: "Vê, Pai, este é o preço do perdão que Tu dás". Quando o Pai vê as chagas de Jesus, Ele nos perdoa sempre, não porque somos bons, mas porque Jesus pagou por nós. Vendo as chagas de Jesus, o Pai se torna mais misericordioso. Este é o grande trabalho de Jesus hoje no céu: mostrar ao Pai o preço do perdão, as suas chagas. É uma coisa bela essa que nos encoraja a não ter medo de pedir perdão. O Pai perdoa sempre, porque vê as chagas de Jesus, vê o nosso pecado e o perdoa.

REGINA COELI, PRAÇA SÃO PEDRO
DOMINGO, 1º DE JUNHO DE 2014

Não Há Pecado Que Deus Não Possa Perdoar

Não nos fechemos à novidade que Deus quer trazer à nossa vida! Muitas vezes estamos cansados, desiludidos, tristes, sentimos o peso dos nossos pecados, pensamos que não conseguimos. Não nos fechemos em nós mesmos, não percamos a confiança, não desistamos nunca: não há situação que Deus não possa mudar, não há pecado que não possa perdoar, se nos abrirmos a Ele.

HOMILIA, BASÍLICA DE SÃO PEDRO
SÁBADO SANTO, 30 DE MARÇO DE 2013

Papa Francisco@Pontifex_pt · 4 de março de 2014
"Todos cometemos muitos erros na vida. Aprendamos a reconhecer os nossos erros e a pedir perdão."

O Senhor Nunca Decepciona

Ouvindo o que diz João Batista, que dá testemunho de Jesus como Salvador, devemos aumentar a nossa confiança em Jesus. Muitas vezes confiamos num médico: isso é bom, porque o médico existe para nos curar. Confiamos numa pessoa: os irmãos, as irmãs podem ajudar-nos. É bom ter essa confiança humana entre nós. Todavia, esquecemos a confiança no Senhor! Esta é a chave do sucesso na vida: confiança no Senhor; confiemos no Senhor!...

Ouvi bem, vós rapazes e moças, que estais começando a vida agora: Jesus nunca decepciona. Nunca! Esse é o testemunho de João: Jesus, bom, manso, que acabará como um cordeiro, abatido. Sem gritar. Ele veio para nos salvar, tirar o pecado. O meu, o teu e o do mundo: tudo, tudo!

E agora vos convido a fazer uma coisa: fechemos os olhos, imaginemos a cena ali, às margens do rio, João batizando e Jesus se aproximando. Ouçamos a voz de João: "Eis o Cordeiro de Deus que tira o pecado do mundo". Observemos Jesus, e em silêncio, cada um de nós, diga alguma coisa a Jesus, do fundo do coração. Em silêncio!

HOMILIA, PARÓQUIA SAGRADO CORAÇÃO DE JESUS, ROMA
DOMINGO, 19 DE JANEIRO DE 2014

Papa Francisco@Pontifex_pt · 2 de dezembro de 2013
"Os vossos pecados são grandes? Dizei simplesmente ao Senhor: Perdoai-me, ajudai-me a levantar outra vez, transformai o meu coração!"

Estamos em Mãos Seguras

Em Cristo, verdadeiro Deus e verdadeiro homem, a nossa humanidade foi levada a Deus. Ele nos abriu a passagem. Ele é como um chefe de equipe quando se escala uma montanha, que chega ao topo e nos puxa até ele, conduzindo-nos a Deus. Se lhe confiarmos a nossa vida, se nos deixarmos guiar por Ele, sem dúvida estaremos em mãos seguras, nas mãos do nosso Salvador, do nosso Advogado.

AUDIÊNCIA GERAL, PRAÇA SÃO PEDRO
QUARTA-FEIRA, 17 DE ABRIL DE 2013

Vem Para Fora, Eu Te Dou a Vida!

Dentro de nós mesmos, todos temos algumas zonas, algumas partes no nosso coração, que não estão vivas, que estão um pouco mortas; e alguns têm muitas partes mortas no coração, uma verdadeira necrose espiritual! Quando estamos nessa situação, e percebemos, queremos sair, mas não conseguimos. Só o poder de Jesus, o poder de Jesus, pode nos ajudar a sair dessas zonas mortas do coração, desses túmulos de pecado que todos temos. Todos somos pecadores! Mas se ficamos muito presos a esses sepulcros, se os guardamos em nós e não queremos que o nosso coração inteiro ressurja para a vida, tornamo-nos corrompidos e a nossa alma começa a exalar, como diz Marta, um "mau cheiro" (Jo 11,39), o odor de uma pessoa apegada ao pecado. A Quaresma é um pouco para isto: para que todos nós, que somos pecadores, não acabemos presos ao pecado, mas possamos ouvir o que Jesus disse a Lázaro: "Ele bradou em alta voz: 'Lázaro, vem para fora'" (Jo 11,43).

Hoje eu vos convido a pensar por um momento, em silêncio, aqui: onde está a minha necrose interior? Onde está a parte morta da minha alma? Onde está o meu túmulo? Pensai, um instante, todos em silêncio. Pensemos: que parte do coração pode corromper-se porque estou apegado aos pecados, a um pecado ou a qualquer pecado? E remover a pedra, tirar a pedra da vergonha e deixar que o Senhor nos diga, como disse a Lázaro: "Vem para fora!" Para que toda a nossa alma seja curada, ressuscite pelo amor de Jesus, pela força de Jesus. Ele é capaz de nos perdoar. Todos nós precisamos disso! Todos nós. Todos somos pecadores, mas precisamos tomar cuidado para não nos corromper! Somos pecadores, mas Ele nos perdoa. Ouçamos a voz de Jesus que, com o poder de Deus, nos diz: "Vem para fora! Sai do túmulo que está dentro de ti. Sai. Eu te dou a vida, eu te faço feliz, eu te abençoo, eu te quero para mim".

HOMILIA, IGREJA DE SÃO GREGÓRIO MAGNO

DOMINGO, 6 DE ABRIL DE 2014

A Cruz é Mais do Que Uma Peça de Decoração

O centro da salvação de Deus é o seu Filho, que tomou sobre si os nossos pecados, o nosso orgulho, a nossa autoconfiança, a nossa vaidade, o nosso desejo de ser como Deus. O cristão que não é capaz de gloriar-se em Cristo crucificado não compreendeu o que significa ser cristão. As nossas chagas, as chagas que o pecado deixa em nós, só podem ser curadas com as chagas do Senhor, com as chagas de Deus feito homem, humilhado, aniquilado. Esse é o mistério da Cruz. Ela não é só uma peça de decoração que colocamos nas igrejas, nos altares; não é apenas um símbolo que nos distingue dos outros. A Cruz é um mistério: o mistério do amor de Deus que se humilha, que se aniquila para nos salvar dos nossos pecados.

MEDITAÇÃO MATUTINA, CASA DE SANTA MARTA
TERÇA-FEIRA, 8 DE ABRIL DE 2014

Jesus Cristo Te Ama

Na boca do catequista, volta a ressoar sempre o primeiro anúncio: "Jesus Cristo te ama, deu a sua vida para te salvar, e agora vive ao teu lado todos os dias para te iluminar, fortalecer e libertar".

EXORTAÇÃO APOSTÓLICA, *EVANGELII GAUDIUM*, 164
DOMINGO, 24 DE NOVEMBRO DE 2013

A Paz Que Só Jesus Pode Dar

O perdão não é fruto dos nossos esforços, mas é uma dádiva, um dom do Espírito Santo que nos banha com o manancial de misericórdia e de graça que brota incessantemente do coração aberto de Cristo crucificado e ressuscitado. Em segundo lugar, lembra-nos que só podemos estar realmente em paz se nos deixamos reconciliar, no Senhor Jesus, com o Pai e com os irmãos. Todos nós sentimos isso no coração, quando nos confessamos com a alma pesada, com tristeza. Ao receber o perdão de Jesus, ficamos em paz, aquela paz da alma tão reconfortante que só Jesus pode dar, somente ele.

AUDIÊNCIA GERAL, PRAÇA SÃO PEDRO
QUARTA-FEIRA, 19 DE FEVEREIRO DE 2014

A Recriação do Mundo

Reconciliação é recriação do mundo, e a missão mais profunda de Jesus é a redenção de todos nós, pecadores. Jesus não nos redimiu com palavras, com ações ou perambulando pelas estradas, não! Ele nos resgatou com a sua carne. É verdadeiramente Deus que se torna um de nós, um homem, para nos curar a partir de dentro.

MEDITAÇÃO MATUTINA, CASA DE SANTA MARTA
QUINTA-FEIRA, 4 DE JULHO DE 2013

Deus nos Acompanha

Quando nos perdoa, Deus nos acompanha e nos ajuda ao longo do caminho. Sempre. Mesmo nas pequenas coisas. Quando nos confessamos, o Senhor nos diz: "Eu te perdoo. Mas agora vem comigo". E nos ajuda a retomar o caminho. Nunca condena. Ele não só perdoa, mas perdoa e acompanha. Somos fracos, porém, e precisamos voltar a nos confessar, todos nós. Mas ele não se cansa e sempre pega a nossa mão. Esse é o amor de Deus, amor que devemos imitar! A sociedade deve imitá-lo, seguindo esse caminho.

DISCURSO NA PENITENCIÁRIA DE CASTROVILLARI

SÁBADO, 21 DE JUNHO DE 2014

Um Lugar de Misericórdia e Perdão

A Igreja deve ser o lugar da misericórdia gratuita, onde todos possam sentir-se acolhidos, amados, perdoados e estimulados a viver a vida edificante do Evangelho.

EXORTAÇÃO APOSTÓLICA, *EVANGELII GAUDIUM*, 114
DOMINGO, 24 DE NOVEMBRO, 2013

Com Deus Podemos Fazer Grandes Coisas

Permanecei firmes no caminho da fé, com esperança inabalável no Senhor. Esse é o segredo do nosso caminho! Ele nos dá coragem de ir contra a corrente. Ouvi bem, jovens: ir contra a corrente; faz bem ao coração. Mas para isso é preciso coragem, e Ele nos dá essa coragem! Não existem dificuldades, tribulações, incompreensões que possam nos amedrontar, se permanecermos unidos a Deus como os ramos estão unidos à videira, se não perdermos a amizade com Ele, se Lhe dermos cada vez mais espaço na nossa vida. Essa verdade se aplica de modo especial quando nos sentimos pobres, fracos e pecadores, porque Deus dá força à nossa fraqueza, riqueza à nossa pobreza, conversão e perdão ao nosso pecado. O Senhor é infinitamente misericordioso: se vamos a Ele, sempre nos perdoa. Confiemos na ação de Deus! Com Ele podemos fazer coisas grandes; Ele nos fará sentir a alegria de sermos seus discípulos, suas testemunhas. Apostai em grandes ideais, em coisas grandes. Nós, cristãos, não somos escolhidos pelo Senhor para pequenas coisas; ide sempre além, para as grandes coisas. Apostai a vida por grandes ideais, jovens!

HOMILIA, MISSA DE CRISMA, PRAÇA SÃO PEDRO
DOMINGO, 28 DE ABRIL DE 2013

Papa Francisco@Pontifex_pt · 19 de junho de 2014
"Não há motivo para perder a esperança, nenhum. Jesus diz: 'Estou convosco até o fim dos tempos'."

A Lembrança da Misericórdia Divina

A Igreja é a grande família dos filhos de Deus. Sem dúvida, ela tem também aspectos humanos; os que a compõem, pastores e fiéis, têm defeitos, imperfeições, pecados. Também o Papa os tem – e muitos; mas a beleza está em que quando nos damos conta de que somos pecadores, encontramos a misericórdia de Deus, que perdoa sempre. Não esqueçais: Deus perdoa sempre e nos acolhe no seu amor de perdão e de misericórdia. Alguns dizem que o pecado é uma ofensa a Deus; é verdade, mas é também uma oportunidade para que nos tornemos humildes e percebamos que existe algo ainda mais belo: a misericórdia de Deus. Pensemos nisso.

AUDIÊNCIA GERAL, PRAÇA SÃO PEDRO
QUARTA-FEIRA, 29 DE MAIO DE 2013

Capítulo Três

~ A Misericórdia Divina ~

De todo coração e com toda a nossa alma,
com todo o nosso espírito e todas as nossas forças,
com todas as nossas faculdades e todo o nosso esforço,
com todo afeto e todos os sentimentos,
com todo desejo e toda a nossa vontade,
amemos todos o nosso Senhor e Deus.
Ele nos deu e continua dando tudo o que temos,
o nosso corpo, a nossa alma, toda a nossa vida;
Ele nos criou e nos resgatou;
apenas por sua misericórdia nos salvará...
Ele nos deu tudo o que é bom
e não cessa de nos prover.[3]

– São Francisco de Assis,
Primeira Regra

---

3. *Omnibus*, pp. 51-2.

A Imensidão da Misericórdia de Deus

Deus pôs na Cruz de Jesus todo o peso dos nossos pecados, todas as injustiças perpetradas por cada Caim contra o seu irmão, toda a amargura da traição de Judas e de Pedro, toda a vaidade dos prepotentes, toda a arrogância dos falsos amigos. Era uma Cruz pesada, como a noite das pessoas abandonadas, pesada como a morte das pessoas queridas, pesada porque carrega toda a fealdade do mal. Contudo, é também uma Cruz gloriosa como a aurora de uma longa noite, pois representa todo o amor de Deus, que é maior do que as nossas iniquidades e traições. Na Cruz vemos a monstruosidade do homem, quando se deixa guiar pelo mal; mas vemos também a imensidão da misericórdia de Deus que não nos trata segundo os nossos pecados, mas segundo a sua misericórdia.

VIA-SACRA, PALATINO

SEXTA-FEIRA SANTA, 18 DE ABRIL DE 2014

Papa Francisco@Pontifex_pt · 24 de março de 2014

"Jesus nunca está longe de nós, pecadores. Ele quer derramar sobre nós toda a sua misericórdia, sem limites."

Abri o Vosso Coração à Bondade e Misericórdia de Deus

Com efeito, frequentemente não conseguimos entender os desígnios de Deus e percebemos que não somos capazes de assegurar sozinhos a nossa felicidade e a vida eterna. Mas é precisamente na experiência das nossas limitações e da nossa pobreza que o Espírito Santo nos conforta e nos faz perceber que a única coisa importante é deixar-nos conduzir por Jesus para os braços do Pai.

Eis o motivo de termos tanta necessidade desse dom do Espírito Santo. O temor de Deus nos faz tomar consciência de que tudo procede da graça e de que a nossa verdadeira força consiste unicamente em seguir o Senhor Jesus e em deixar que o Pai possa derramar sobre nós a sua bondade e misericórdia. Abrir o coração para que a bondade e a misericórdia de Deus entrem em nós. É isso que o Espírito Santo faz com o dom do temor de Deus: abre os corações. Abre o coração para que o perdão, a misericórdia, a bondade e o carinho do Pai entrem em nós, porque somos filhos infinitamente amados.

AUDIÊNCIA GERAL, PRAÇA SÃO PEDRO
QUARTA-FEIRA, 11 DE JUNHO DE 2014

Envolvidos pela Misericórdia

Na minha vida pessoal, vi muitas vezes o rosto misericordioso de Deus, a sua paciência; vi também em muitas pessoas a coragem de entrar nas chagas de Jesus, dizendo-lhe: Senhor, aqui estou, aceita a minha pobreza, esconde nas tuas chagas o meu pecado, lava-o com o teu sangue. E sempre testemunhei que Deus atendeu – acolheu, consolou, lavou, amou.

Amados irmãos e irmãs, deixemo-nos envolver pela misericórdia de Deus; confiemos na sua paciência, que sempre nos dá tempo; tenhamos a coragem de voltar para sua casa, habitar nas feridas do seu amor, deixando-nos amar por Ele e encontrar a sua misericórdia nos sacramentos. Sentiremos a sua ternura maravilhosa, sentiremos o seu abraço e seremos também nós mais capazes de misericórdia, paciência, perdão e amor.

HOMILIA, BASÍLICA DE SÃO JOÃO DE LATRÃO
DOMINGO DA DIVINA MISERICÓRDIA, 7 DE ABRIL DE 2013

Deus nos Atrai

A salvação que Deus nos oferece é obra da sua misericórdia. Não há ação humana, por melhor que seja, que nos faça merecer tão grande dom. Por pura graça, Deus nos atrai para que nos unamos a Ele. Ele envia o seu Espírito para o nosso coração para nos fazer filhos seus, para nos transformar e nos tornar capazes de responder ao seu amor com a nossa vida.

EXORTAÇÃO APOSTÓLICA, *EVANGELII GAUDIUM*, 112
24 DE NOVEMBRO DE 2013

Papa Francisco@Pontifex_pt · 7 de abril de 2013
"Como é belo o olhar que Jesus repousa sobre nós – um olhar pleno de ternura! Não percamos jamais a confiança na paciência e na misericórdia de Deus."

Dirige-Te a Jesus, Ele Te Acolhe

Não é fácil entregar-nos à misericórdia de Deus, pois estamos diante de um abismo que excede toda compreensão. Mas devemos fazê-lo!

"Ah, padre, se o senhor conhecesse a minha vida, não me diria isso!"

"Por quê? O que fizeste?"

"Ah, preparei muitas e boas!"

"Melhor assim! Dirige-te a Jesus: Ele gosta que lhe contes essas coisas!"

Ele esquece; tem uma capacidade especial de esquecer. Ele esquece, te beija, te abraça e apenas diz: "Nem eu te condeno; vai, e de agora em diante não peques mais" (Jo 8,11).

HOMILIA, IGREJA DE SANTA ANA

DOMINGO, 17 DE MARÇO DE 2013

A Misericórdia de Jesus é Força Vivificadora

A misericórdia de Jesus não é apenas um sentimento, é uma força que dá vida, que ressuscita o homem! Também o Evangelho de hoje nos diz isso, no episódio da viúva de Naim (Lc 7,11-17). Acompanhado de seus discípulos, Jesus chega a Naim, uma aldeia da Galileia, no exato momento em que se realiza um funeral: está sendo enterrado um jovem, filho único de uma viúva. O olhar de Jesus fixa-se imediatamente na mãe que chora. Diz o evangelista Lucas: "O Senhor, ao vê-la, ficou comovido"... Qual é o fruto desse amor, dessa misericórdia? É a vida! Jesus disse à viúva de Naim: "Não chores!" Em seguida, chamou o jovem morto e o despertou como que de um sono. Pensemos nisso, é bonito: a misericórdia de Deus dá vida ao homem, ressuscita-o da morte. O Senhor sempre olha para nós com misericórdia; não esqueçamos, sempre olha para nós com misericórdia, nos espera com misericórdia. Não tenhamos medo de nos aproximar d'Ele! Ele tem um coração misericordioso! Se lhe mostrarmos as nossas feridas interiores, os nossos pecados, ele nos perdoará sempre. É misericórdia pura! Vamos ao encontro de Jesus!

ANGELUS, PRAÇA SÃO PEDRO

DOMINGO, 9 DE JUNHO DE 2013

Transformados pela Misericórdia

Desde os primórdios, a Igreja de Roma celebra os apóstolos Pedro e Paulo na mesma data, 29 de junho. Ambos acolheram o amor de Deus e se deixaram transformar pela sua misericórdia, tornando-se assim amigos e apóstolos de Cristo. Por isso, continuam a falar à Igreja e ainda hoje nos indicam o caminho da salvação. Caso caíssemos nos pecados mais graves e na noite mais escura, também a nós Deus é sempre capaz de transformar, como transformou Pedro e Paulo; de transformar o nosso coração e nos perdoar tudo, convertendo assim a nossa escuridão do pecado num alvorecer de luz. Deus é assim: transforma-nos, perdoa-nos sempre, como fez com Pedro e com Paulo.

ANGELUS, PRAÇA SÃO PEDRO
DOMINGO, 29 DE JUNHO DE 2014

O Senhor Jesus Derrama sua Misericórdia sobre Nós

O gesto realizado por Jesus na Última Ceia é o supremo agradecimento ao Pai por seu amor, por sua misericórdia. A palavra grega para "agradecimento" é "eucaristia". É por isso que o sacramento se chama Eucaristia: é o agradecimento supremo ao Pai, que nos amou a ponto de nos dar o seu Filho. Eis por que o termo Eucaristia consubstancia todo aquele gesto, um gesto de Deus e do homem juntos, gesto de Jesus Cristo, verdadeiro Deus e verdadeiro homem... A Eucaristia constitui o apogeu da ação salvífica de Deus: o Senhor Jesus, fazendo-se pão partido para nós, derrama sobre nós toda a sua misericórdia e todo o seu amor, de modo a renovar o nosso coração, a nossa existência e o nosso modo de nos relacionar com Ele e com os irmãos.

AUDIÊNCIA GERAL, PRAÇA SÃO PEDRO
QUARTA-FEIRA, 5 DE FEVEREIRO DE 2014

Papa Francisco@Pontifex_pt · 6 de maio de 2013
"Peçamos ao Senhor que nos ajude a dar um testemunho irradiante da sua misericórdia e do seu amor em todos os aspectos da nossa vida cristã."

Sede Misericordiosos como o Vosso Pai é Misericordioso

O que fazemos aos outros tem uma dimensão transcendente: "Com a medida com que medirdes sereis medidos" (Mt 7,2); e corresponde à misericórdia divina para conosco: "Sede misericordiosos como o vosso Pai é misericordioso. Não julgueis, para não serdes julgados; não condeneis, para não serdes condenados; perdoai, e vos será perdoado. Dai, e vos será dado... pois com a medida com que medirdes sereis medidos também" (Lc 6,36-38). O que essas passagens exprimem é a absoluta prioridade da "saída de si mesmo em direção ao irmão" como um dos dois principais mandamentos que fundamentam toda norma moral e como o sinal mais claro para discernir o caminho de crescimento espiritual em resposta à dádiva absolutamente gratuita de Deus.

EXORTAÇÃO APOSTÓLICA, *EVANGELII GAUDIUM*, 170
DOMINGO, 24 DE NOVEMBRO DE 2013

O Confessionário não Deve ser uma Câmara de Tortura

Lembro aos sacerdotes que o confessionário não deve ser uma câmara de tortura, mas sim o lugar da misericórdia do Senhor que nos incentiva a praticar o bem possível. Um pequeno passo, em meio às grandes limitações humanas, pode ser mais agradável a Deus do que a vida exteriormente correta de quem passa os dias sem se deparar com grandes dificuldades. A todos deve chegar o consolo e o estímulo do amor salvífico de Deus, que opera misteriosamente em cada pessoa, para além dos seus defeitos e das suas quedas.

EXORTAÇÃO APOSTÓLICA, *EVANGELII GAUDIUM*, 44
DOMINGO, 24 DE NOVEMBRO DE 2013

Sê um Artífice da Misericórdia

Quem experimenta a misericórdia divina é impelido a tornar-se artífice de misericórdia entre os homens e os pobres. Nesses "irmãos mais pequeninos" Jesus nos espera (cf. Mt 25,40); recebamos a misericórdia e demos misericórdia! Vamos ao seu encontro e celebremos a Páscoa na alegria de Deus.

HOMILIA, BASÍLICA DE SÃO PEDRO

SEXTA-FEIRA, 28 DE MARÇO DE 2014

Papa Francisco@Pontifex_pt · 7 de outubro de 2013

"A misericórdia é o verdadeiro poder que pode salvar a humanidade e o mundo do pecado e do mal."

A Misericórdia Triunfou

Ecoa na Igreja espalhada por todo o mundo o anúncio do anjo às mulheres: "Não temais! Sei que estais procurando Jesus, o crucificado. Ele não está aqui, pois ressuscitou... Vinde ver o lugar onde jazia" (Mt 28,5-6).

Este é o ponto culminante do Evangelho, a Boa-Nova por excelência: Jesus, o crucificado, ressuscitou! Esse acontecimento está na base da nossa fé e da nossa esperança: se Cristo não tivesse ressuscitado, o cristianismo perderia o seu valor; toda a missão da Igreja esgotaria o seu ímpeto, porque foi dali que partiu e sempre parte de novo. A mensagem que os cristãos levam ao mundo é esta: Jesus, o Amor encarnado, morreu na cruz pelos nossos pecados, mas Deus Pai o ressuscitou e o fez Senhor da vida e da morte. Em Jesus, o amor triunfou sobre o ódio, a misericórdia sobre o pecado, o bem sobre o mal, a verdade sobre a mentira, a vida sobre a morte.

URBI ET ORBI, SACADA DA BASÍLICA DE SÃO PEDRO
DOMINGO, 20 DE ABRIL DE 2014

O Verdadeiro Rosto De Deus

A isto em primeiro lugar nos convida o Natal: dar glória a Deus, porque Ele é bom, é fiel, é misericordioso. Manifesto hoje a minha esperança de que todos possam reconhecer o verdadeiro rosto de Deus, o Pai que nos deu Jesus. A minha esperança é que todos possam sentir que Deus está perto, que possam estar em sua presença, que O amem e O adorem. Possa cada um dar glória a Deus sobretudo com a vida, com uma vida vivida por amor a Ele e aos irmãos.

URBI ET ORBI, SACADA DA BASÍLICA DE SÃO PEDRO
QUARTA-FEIRA, 25 DE DEZEMBRO DE 2013

ESTE É O GRANDE TEMPO DA MISERICÓRDIA!

A manifestação do Filho de Deus na Terra assinala o início do grande tempo da misericórdia, depois que o pecado fechou os céus, levantando como que uma barreira entre o ser humano e o seu Criador. Com o nascimento de Jesus, os céus se abrem! Em Cristo, Deus nos dá a garantia de um amor indestrutível. Portanto, desde que o Verbo se fez carne, é possível ver os céus abertos. Foi possível para os pastores de Belém, para os Magos do Oriente, para João Batista, para os Apóstolos de Jesus, para santo Estêvão, o primeiro mártir, que exclamou: "Eu vejo os céus abertos!" (At 7,56). E é possível também para cada um de nós, se nos deixarmos invadir pelo amor de Deus, que nos é dado pela primeira vez no batismo por meio do Espírito Santo. Deixemo-nos invadir pelo amor de Deus! Este é o grande tempo da misericórdia! Não esqueçais: este é o grande tempo da misericórdia!

ANGELUS, PRAÇA SÃO PEDRO
DOMINGO, 12 DE JANEIRO DE 2014

Capítulo Quatro

~ A Oração ~

Muitas vezes, sem mover os lábios,
São Francisco meditava por longo tempo e,
concentrando-se, reunido as suas forças externas,
elevava-se em espírito aos céus.
Dirigia assim toda a sua mente e os seus afetos
àquilo que pedia a Deus.
Então, não era tanto um homem que rezava,
mas um homem que se tornara uma oração viva.[4]

– Thomas de Celano,
A Segunda Vida de São Francisco

4. Murray Bodo, *The Simple Way: Meditations on the Words of Saint Francis* (Cincinnati: Franciscan Media, 2009), p. 104. Ver também *Omnibus*, p. 440.

O Mar do Amor Ilimitado de Deus

A oração é a força do cristão e de cada pessoa que crê. Na fraqueza e fragilidade da nossa vida, podemos dirigir-nos a Deus com confiança filial e entrar em comunhão com Ele. Diante de tantas feridas que nos afligem e que poderiam endurecer o nosso coração, somos chamados a mergulhar no mar da oração, que é o mar do amor ilimitado de Deus, para sentir a sua ternura.

HOMILIA, BASÍLICA DE SANTA SABINA
QUARTA-FEIRA DE CINZAS, 5 DE MARÇO DE 2014

Papa Francisco@Pontifex_pt · 28 de junho de 2014
"Ser amigo de Deus significa rezar com simplicidade, como filhos que falam com os seus pais."

Uma Relação Vivida com o Coração

Essa ligação com o Senhor não deve ser entendida como um dever ou imposição. É um vínculo que vem de dentro. Trata-se de uma relação vivida com o coração: é a nossa amizade com Deus que nos foi concedida por Jesus, uma amizade que transforma a nossa vida e nos enche de entusiasmo e alegria. Por isso, o dom da piedade suscita em nós antes de tudo a gratidão e o louvor. Com efeito, esse é o motivo e o sentido mais autêntico do nosso culto e da nossa adoração. Quando o Espírito Santo nos faz sentir a presença do Senhor e todo o seu amor por nós, Ele inflama o coração e nos leva quase naturalmente à oração e à celebração.

AUDIÊNCIA GERAL, PRAÇA SÃO PEDRO
QUARTA-FEIRA, 4 DE JUNHO DE 2014

O DIA EM QUE OUVI A VOZ DE JESUS

Desejo contar-vos uma experiência pessoal. Ontem comemorei 60 anos do dia em que ouvi a voz de Jesus no meu coração. Não estou dizendo isso para que me prepareis um bolo, aqui, não, não digo por isso. Mas é uma lembrança: 60 anos daquele dia. Jamais esquecerei. O Senhor me fez ouvir nitidamente que eu devia tomar aquele caminho. Eu tinha 17 anos. Passaram-se alguns anos antes que essa decisão, esse convite, se tornasse concreto e definitivo. Depois se passaram muitos anos com alguns sucessos, de alegria, mas também muitos anos de insucessos, de fragilidades e de pecado... 60 anos no caminho do Senhor, atrás d'Ele, ao lado d'Ele, sempre com Ele. Digo-vos apenas isto: não me arrependi! Não me arrependi! Por quê? Porque me sinto como Tarzan e sou forte para ir em frente? Não, não me arrependi porque sempre, mesmo nos momentos mais tenebrosos, nos momentos de pecado, nos momentos de fragilidade, nos momentos de fracasso, olhei para Jesus e confiei n'Ele, e Ele não me abandonou. Confiai em Jesus: Ele sempre vai à frente, Ele vai convosco! Mas, ouvi, Ele nunca nos decepciona. Ele é fiel, é um companheiro fiel.

DISCURSO AOS JOVENS, CAGLIARI

DOMINGO, 22 DE SETEMBRO DE 2013

Senti a Presença do Senhor na Vossa Vida

Queridos adolescentes, queridos jovens, amai cada vez mais a Jesus Cristo! A nossa vida é uma resposta ao seu chamado, e vós sereis felizes e construireis bem a vossa vida se souberdes responder a esse chamado. Senti a presença do Senhor na vossa vida. Ele está perto de cada um de vós como companheiro, como amigo, que sabe ajudar-vos e compreender-vos, que vos encoraja nos momentos difíceis e nunca vos abandona. Na oração, no diálogo com Ele, na leitura da Bíblia, descobrireis que Ele está verdadeiramente próximo. E aprendei também a ler os sinais de Deus na vossa vida. Ele nos fala sempre, também por meio dos acontecimentos da nossa época e da nossa existência de cada dia; compete a nós escutá-lo.

DISCURSO A ESTUDANTES DE ESCOLAS JESUÍTAS,
SALA PAULO VI
SEXTA-FEIRA, 7 DE JUNHO DE 2013

Papa Francisco@Pontifex_pt · 19 de maio de 2014
"Quem ouve atentamente a Palavra de Deus e reza realmente, sempre pergunta ao Senhor: Qual é a Vossa vontade para mim?"

Passo na Direção do Amor

Todos temos simpatias e antipatias, e talvez neste preciso momento estejamos com raiva de alguém. Pelo menos digamos ao Senhor: "Senhor, estou com raiva de fulano, de fulana. Peço-vos por ele e por ela". Rezar pela pessoa com quem estamos irritados é um belo passo na direção do amor, e é um ato de evangelização. Demos esse passo hoje. Não deixemos que nos roubem o ideal do amor fraterno!

EXORTAÇÃO APOSTÓLICA, *EVANGELII GAUDIUM*, 101
DOMINGO, 24 DE NOVEMBRO DE 2013

A Minha Prática Ideal de Oração

Pela manhã, procuro recitar as Laudes e também rezar um pouco, a *lectio divina*, com o Senhor... Em seguida, celebro a missa. Depois começa o trabalho: um dia, é de um tipo, outro dia, de outro... procuro fazer em ordem. Ao meio-dia, almoço; depois, um pouco de sesta; a seguir, às três horas – desculpai-me – recito as Vésperas, às três... Se não as recito nessa hora, não as recitarei mais! Sim, e também a leitura, o Ofício de leitura do dia seguinte. Depois as tarefas da tarde, as coisas que devo fazer. Em seguida faço um pouco de adoração e rezo o terço; jantar, e pronto. Esse é o esquema...

Mas às vezes nem tudo é feito, porque me deixo levar por exigências imprudentes: excesso de trabalho, ou penso que se não faço hoje, não o farei amanhã... A adoração deixa de ser feita, a sesta deixa de ser feita, isso ou aquilo deixa de ser feito... O ideal é chegar cansado ao fim do dia, para não precisar de comprimidos. Mas com um bom cansaço, não com um cansaço imprudente, porque isso faz mal à saúde e com o tempo o preço é alto. Olho para a cara do Sandro, que ri e diz: "Mas o senhor não faz isso!" É verdade. Esse é o ideal, mas não o faço sempre, porque eu também sou pecador, e nem sempre sou tão organizado.

DIÁLOGO COM REITORES E ALUNOS DOS COLÉGIOS PONTIFÍCIOS E INTERNATOS DE ROMA, SALA PAULO VI, SEGUNDA-FEIRA, 12 DE MAIO DE 2014

Papa Francisco@Pontifex_pt · 16 de julho de 2014
"Oração, humildade e caridade com todos são essenciais na vida cristã: o caminho para a santidade."

Nosso Deus é um Pai para Nós

É precisamente o Espírito que recebemos no batismo que nos ensina e nos impele a dizer a Deus: "Pai", ou melhor, "*Abba*!", que significa "papai". Nosso Deus é assim: um papai para nós... Todavia, essa relação filial com Deus não é como um tesouro que conservamos num canto da nossa vida, mas deve crescer, deve ser alimentada cada dia com a escuta da Palavra de Deus, com a oração, com a participação nos sacramentos, especialmente da Penitência e da Eucaristia, e com a caridade.

AUDIÊNCIA GERAL, PRAÇA SÃO PEDRO
QUARTA-FEIRA, 10 DE ABRIL DE 2013

Papa Francisco@Pontifex_pt · 21 de outubro de 2013
"Se queremos conhecer o Senhor, precisamos ir até Ele. Ouvi-Lo em silêncio diante do tabernáculo e nos aproximarmos d'Ele nos sacramentos."

Deus Fala na Escritura Sagrada e no Silêncio

Outro caminho privilegiado para crescer na amizade com Cristo é a escuta da sua Palavra. O Senhor nos fala no íntimo da nossa consciência, fala-nos por meio da Sagrada Escritura, fala-nos na oração. Aprendei a permanecer em silencio diante d'Ele, a ler a Bíblia e a meditar nela, de modo especial nos Evangelhos, e a dialogar com Ele todos os dias para sentir a sua presença de amizade e de amor.

MENSAGEM AOS JOVENS DA LITUÂNIA, DO VATICANO
SEXTA-FEIRA, 21 DE JUNHO DE 2013

O Evangelho no Bolso ou na Bolsa

Nós, discípulos de Jesus, somos chamados a ser pessoas que ouvem a sua voz e levam a sério as suas palavras. Para ouvir Jesus, é preciso estar perto dele, segui-lo, como faziam as multidões do Evangelho que o seguiam pelas estradas da Palestina. Jesus não tinha uma cátedra ou um púlpito fixos, era um mestre itinerante que propunha os seus ensinamentos, ensinamentos que o Pai lhe havia dado, ao longo das estradas, percorrendo itinerários nem sempre previsíveis e às vezes nada fáceis. Seguir Jesus para ouvi-lo. Mas também ouvimos Jesus na sua Palavra escrita, no Evangelho. Faço-vos uma pergunta: ledes todos os dias um trecho do Evangelho? Sim, não... sim, não... meio a meio... Alguns sim, outros não. Mas é importante! Ledes o Evangelho? É bom; é bom ter um pequeno evangelho, pequeno, e levá-lo conosco, no bolso, na bolsa, e ler uma pequena passagem em qualquer momento do dia. Em qualquer momento do dia, tiro o Evangelho do bolso e leio alguma coisa, um pequeno trecho. Ali é Jesus que nos fala, no Evangelho!

ANGELUS, PRAÇA SÃO PEDRO
DOMINGO, 16 DE MARÇO DE 2014

Recuperar um Espírito Contemplativo

A melhor motivação para se decidir a comunicar o Evangelho é contemplá-lo com amor, é deter-se nas suas páginas e lê-lo com o coração. Se o abordamos desse modo, a sua beleza nos encanta, nos fascina sempre mais. Por isso, é urgente recuperar um espírito contemplativo que nos permita redescobrir cada dia que somos depositários de um bem que humaniza, que ajuda a viver uma vida nova. Não há nada de melhor a transmitir aos outros.

EXORTAÇÃO APOSTÓLICA, *EVANGELII GAUDIUM*, 264
DOMINGO, 24 DE NOVEMBRO DE 2013

Meditando com Maria e o Rosário

Eu gostaria de ressaltar a beleza de uma oração contemplativa simples, acessível a todos, adultos e crianças, cultos e pouco instruídos; é a oração do Santo Rosário. No Rosário, dirigimo-nos à Virgem Maria pedindo que nos leve a uma união cada vez mais íntima com o seu Filho Jesus, para nos assemelharmos a Ele, termos os seus sentimentos e agirmos como Ele. Com efeito, no Rosário, repetindo a "Ave-Maria", nós meditamos sobre os mistérios, sobre os acontecimentos da vida de Cristo para conhecê-lo e amá-lo sempre mais. O Rosário é um instrumento eficaz para abrir-nos a Deus, porque nos ajuda a vencer o egoísmo e a levar paz aos corações, às famílias, à sociedade e ao mundo.

MENSAGEM AOS JOVENS DA LITUÂNIA, DO VATICANO
SEXTA-FEIRA, 21 DE JUNHO DE 2013

Papa Francisco@Pontifex_pt · 8 de abril de 2013
"Precisamos redescobrir um espírito contemplativo para que o amor de Deus possa inflamar o nosso coração."

Somos Todos Frágeis e Precisamos de Ajuda

Somos seres humanos, marcados pela fragilidade e por limites; todos somos frágeis, todos temos limites. Não obstante, nesses momentos de dificuldade é necessário confiar na ajuda de Deus, mediante a oração filial e, ao mesmo tempo, é importante encontrar a coragem e a humildade de nos abrirmos aos outros, para pedir ajuda, para pedir que nos deem uma mão. Quantas vezes fizemos isso e conseguimos resolver o problema e encontrar Deus mais uma vez! Nessa comunhão – comunhão quer dizer comum-união – somos uma grande família, onde todos os membros se ajudam e sustentam entre si.

AUDIÊNCIA GERAL, PRAÇA SÃO PEDRO
QUARTA-FEIRA, 30 DE OUTUBRO DE 2013

Fazer Espaço para o Senhor

Para não encalhar em baixios, a nossa vida espiritual não pode se reduzir a uns poucos momentos religiosos. Na sucessão dos dias e das estações, na sequência das idades e dos acontecimentos, exercitemo-nos a ver a nós mesmos contemplando Aquele que não passa: espiritualidade é retorno ao essencial, àquele bem que ninguém pode tirar-nos, o único bem verdadeiramente necessário. Mesmo nos momentos de aridez, quando as situações pastorais se tornam difíceis e temos a impressão de estar sozinhos, ela é manto de consolação maior do que qualquer amargura; é medida de liberdade com relação ao juízo do chamado "senso comum"; é fonte de alegria que nos leva a receber tudo das mãos de Deus, até a contemplar a sua presença em tudo e em todos.

Não nos cansemos, portanto, de buscar o Senhor – de nos deixarmos buscar por Ele –, de cuidar da nossa relação com Ele no silêncio e na escuta orante. Mantenhamos o olhar fixo n'Ele, centro do tempo e da história; façamos espaço para a sua presença em nós.

DISCURSO AOS MEMBROS DA CONFERÊNCIA ESPISCOPAL ITALIANA, SALA DO SÍNODO
SEGUNDA-FEIRA, 19 DE MAIO DE 2014

Papa Francisco@Pontifex_pt · 24 de maio de 2013
"Milagres acontecem. Mas a oração é necessária! Oração corajosa, diligente e perseverante, não mera formalidade."

Oração é o Alento da Fé

Cada um de nós, na nossa vida diária, pode dar testemunho de Cristo, com a força de Deus, a força da fé. A fé minúscula que temos, mas que é forte! Com essa força podemos dar testemunho de Jesus Cristo, ser cristãos com a vida, com o nosso testemunho!

E de onde tiramos essa força? De Deus, na oração. A oração é o alento da fé: numa relação de confiança, numa relação de amor, não pode faltar o diálogo, e oração é o diálogo da alma com Deus.

ANGELUS, PRAÇA SÃO PEDRO
DOMINGO, 6 DE OUTUBRO DE 2013

Os Perigos da Espiritualidade Individualizada

Sem momentos prologados de adoração, de encontro orante com a Palavra, de diálogo sincero com o Senhor, as tarefas facilmente se tornam sem sentido; abatemo-nos com o cansaço e com as dificuldades; o ardor se extingue. A Igreja não pode dispensar o pulmão da oração, e alegra-me imensamente que se multipliquem em todas as instituições eclesiais os grupos de oração, de intercessão, de leitura orante da Palavra, as adorações perpétuas da Eucaristia. Ao mesmo tempo, "é preciso rejeitar a tentação de uma espiritualidade intimista e individualizada, que dificilmente se coaduna com as exigências da caridade, que dirá com a lógica da Encarnação". Há o risco de que alguns momentos de oração se tornem desculpa para não dedicar a vida à missão; um estilo de vida individualizado pode levar o cristão a refugiar-se numa espiritualidade falsa.

EXORTAÇÃO APOSTÓLICA, *EVANGELII GAUDIUM*, 262
DOMINGO, 24 DE NOVEMBRO DE 2013

Partilhar a Graça Recebida

Do episódio da Transfiguração, eu gostaria de colher dois elementos significativos que sintetizo em duas palavras: subida e descida. Temos necessidade de ir a um lugar à parte, de subir a montanha até um espaço de silêncio, para encontrar a nós mesmos e ouvir melhor a voz do Senhor. Fazemos isso na oração. Mas não podemos permanecer ali! O encontro com Deus na oração nos estimula novamente a "descer a montanha" e voltar para baixo, para a planície, onde encontramos muitos irmãos sobrecarregados de fadiga, doenças, injustiças, ignorância, pobreza material e espiritual. A esses nossos irmãos que estão em dificuldade, somos chamados a levar os frutos da experiência que tivemos com Deus, partilhando a graça recebida. E isso é curioso. Quando ouvimos a Palavra de Jesus, escutamos a Palavra de Jesus e a temos no coração, essa Palavra cresce. E sabeis como cresce? Dando-a ao outro! A Palavra de Cristo em nós cresce quando a anunciamos, quando a oferecemos aos outros! Esta é a vida cristã. É uma missão para toda a Igreja, para todos os batizados, para todos nós: ouvir Jesus e oferecê-Lo aos outros. Não esqueçais: esta semana, ouvi Jesus!

ANGELUS, PRAÇA SÃO PEDRO
DOMINGO, 16 DE MARÇO DE 2014

Capítulo Cinco

~ A Verdadeira Alegria ~

[Francisco de Assis] repetia constantemente que a alegria espiritual é um remédio infalível contra incontáveis ciladas e artifícios do inimigo. Costumava dizer, "O diabo exulta quando consegue roubar a alegria de espírito de um servo de Deus. Ele carrega consigo um pó que tenta jogar nas menores fendas da consciência, para macular um espírito imaculado e uma vida limpa. Mas se a alegria espiritual enche o coração, a serpente lança seu veneno em vão. Os demônios não conseguem prejudicar um servo de Cristo quando o veem repleto da santa alegria. Mas quando o espírito está com os olhos embaçados, sentindo-se abandonado e triste, deixa-se inundar facilmente pela tristeza ou então ser arrastado para uma satisfação vazia". Por isso o santo sempre se esforçou para manter um coração alegre, para preservar a unção do espírito e o óleo do contentamento.[5]

– Tomás de Celano,
A Segunda Vida de São Francisco

5. *Trilogy*, p. 247.

Uma Alegria Que Ninguém Pode Tirar

A alegria cristã, como a esperança, tem o seu fundamento na fidelidade de Deus, na certeza de que Ele sempre cumpre as suas promessas. O profeta Isaías exorta os que perderam o caminho e tiveram esmorecida sua confiança na fidelidade do Senhor, porque a sua salvação não tardará a irromper na vida deles. Todos os que encontraram Jesus ao longo do caminho sentem uma serenidade e uma alegria no coração que nada nem ninguém pode tirar-lhes. A nossa alegria é Jesus Cristo, o seu amor fiel é inexaurível.

ANGELUS, PRAÇA SÃO PEDRO
DOMINGO, 15 DE DEZEMBRO DE 2013

Papa Francisco@Pontifex_pt · 7 de março de 2014
"A nossa alegria mais profunda procede de Deus: permanecendo com ele, caminhando com ele, sendo seus discípulos."

Nas Pegadas de São Francisco de Assis

Aos olhos de Deus, somos a realidade mais bela, maior e melhor da criação: os próprios anjos estão abaixo de nós; somos mais do que os anjos, como ouvimos no livro dos Salmos. O Senhor nos ama! Devemos agradecer-Lhe por isso. O dom do conhecimento nos põe em profunda sintonia com o Criador, fazendo-nos participar da limpidez do seu olhar e do seu juízo. É nessa perspectiva que temos no homem e na mulher o ápice da criação, como cumprimento de um desígnio de amor que está gravado em cada um de nós e que faz com que nos reconheçamos como irmãos e irmãs.

Tudo isso é motivo de serenidade e de paz, e faz do cristão uma testemunha alegre de Deus, nas pegadas de São Francisco de Assis e de muitos santos que souberam louvar e celebrar o amor divino por meio da contemplação da criação.

AUDIÊNCIA GERAL, PRAÇA SÃO PEDRO
QUARTA-FEIRA, 21 DE MAIO DE 2014

Com Cristo, a Alegria Sempre Renasce

A alegria do Evangelho enche o coração e a vida inteira de todos os que encontram Jesus. Os que se deixam salvar por Ele ficam livres do pecado, da tristeza, do vazio interior, do isolamento. Com Jesus Cristo, a alegria sempre renasce.

EXORTAÇÃO APOSTÓLICA, *EVANGELII GAUDIUM*, 1
DOMINGO, 24 DE NOVEMBRO DE 2013

Uma Alegria Cheia de Admiração

O sentimento dominante que transparece dos relatos evangélicos da Ressurreição é a alegria cheia de admiração, de uma grande admiração! A alegria que vem de dentro! Revivemos na liturgia o estado de espírito dos discípulos diante da notícia levada pelas mulheres: Jesus ressuscitou! Nós o vimos!

Deixemos que essa experiência impressa no Evangelho se imprima também no nosso coração e transpareça na nossa vida. Deixemos que a admiração jubilosa do Domingo de Páscoa irradie nos nossos pensamentos, olhares, atitudes, gestos e palavras... Oxalá fôssemos tão luminosos! Mas não se trata de uma maquilagem! Vem de dentro, de um coração imerso na fonte dessa alegria.

REGINA COELI, PRAÇA SÃO PEDRO

SEGUNDA-FEIRA DE PÁSCOA, 21 DE ABRIL DE 2014

A Alegria Verdadeira Permanece Mesmo nas Provações

A alegria do Evangelho não é uma alegria qualquer. Ela encontra a sua razão de ser no saber que somos acolhidos e amados por Deus... Então, sejamos capazes de reabrir os olhos, de superar tristezas e prantos, de entoar um cântico novo. Essa alegria verdadeira permanece também nas provações, no sofrimento, porque não é uma alegria superficial, mas uma alegria que penetra nas profundezas de quem se entrega a Deus e n'Ele confia.

ANGELUS, PRAÇA SÃO PEDRO
DOMINGO, 15 DE DEZEMBRO DE 2013

Papa Francisco@Pontifex_pt · 2 de julho de 2013
"Não podemos viver como cristãos separados da rocha que é Cristo. Ele nos dá força e estabilidade, mas também alegria e serenidade."

Remédio para a Tristeza

Queridos irmãos e irmãs, a Palavra de Deus e a Eucaristia nos enchem de alegria sempre. Lembrai bem! Quando estiverdes tristes, tomai a Palavra de Deus. Quando estiverdes desanimados, tomai a Palavra de Deus, ide à missa de domingo e comungai, participai do mistério de Jesus. Palavra de Deus, Eucaristia: elas nos enchem de alegria.

REGINA COELI, PRAÇA SÃO PEDRO
DOMINGO, 4 DE MAIO DE 2014

O Dom da Alegria

Ler o Evangelho. Ler o Evangelho. Já falamos sobre isso, lembrais? Ler cada dia um trecho do Evangelho; e também levar um pequeno Evangelho conosco, no bolso, na bolsa, tê-lo de algum modo à mão. E ali, lendo uma passagem, encontraremos Jesus. Tudo adquire sentido quando ali, no Evangelho, encontrais esse tesouro que Jesus chama "Reino de Deus", ou seja, Deus que reina na vossa vida, na nossa vida; Deus que é amor, paz e alegria em cada homem e em todos os homens. É isso que Deus quer, é por isso que Jesus entregou a si mesmo, a ponto de morrer numa cruz, para nos libertar do poder das trevas e nos transferir para o reino da vida, da beleza, da bondade e da alegria. Ler o Evangelho é encontrar Jesus e ter essa alegria cristã, que é um dom do Espírito Santo.

Queridos irmãos e irmãs, a alegria de ter encontrado o tesouro do Reino de Deus transparece, é visível. O cristão não pode manter a sua fé escondida, porque ela transparece em cada palavra, em cada gesto, até nos mais simples e quotidianos: transparece o amor que Deus nos deu por intermédio de Jesus.

ANGELUS, PRAÇA SÃO PEDRO
DOMINGO, 27 DE JULHO DE 2014

Papa Francisco@Pontifex_pt · 4 de fevereiro de 2014
"Queridos jovens, Jesus nos dá vida, e vida em abundância. Se permanecermos perto d'Ele, teremos alegria em nosso coração e um sorriso no rosto."

Uma Confiança Secreta, Mas Firme

Há cristãos cuja vida se parece com uma Quaresma sem Páscoa. Reconheço, porém, que a alegria não se manifesta do mesmo modo em todas as etapas e circunstâncias da vida, por vezes muito árduas. Ela se adapta e se transforma, mas sempre permanece pelo menos como uma centelha de luz que nasce da certeza pessoal de que, a despeito de todas as aparências, somos infinitamente amados. Compreendo as pessoas que se entregam à tristeza por causa das graves dificuldades que têm de suportar, mas aos poucos é preciso deixar que a alegria da fé comece a despertar como uma confiança secreta, mas firme, mesmo nos momentos de angústias profundas.

EXORTAÇÃO APOSTÓLICA, *EVANGELII GAUDIUM*, 6
DOMINGO, 24 DE NOVEMBRO DE 2013

A Verdadeira Alegria é Contagiosa

A alegria, a verdadeira alegria, é contagiosa; contagia... faz ir em frente... Não há santidade na tristeza, não há! Santa Teresa – há muitos espanhóis aqui e a conhecem bem – dizia: "Um santo triste é um triste santo!"... Quando encontramos um seminarista, um padre, uma freira, uma noviça carrancudo, triste, dando a impressão de que alguém jogou um cobertor encharcado sobre sua vida, desses cobertores pesados... que derrubam a gente... Alguma coisa está errada! Mas, por favor: nada de freiras, nada de padres de cara azeda!

DISCURSO A SEMINARISTAS, NOVIÇOS E NOVIÇAS,

SALA PAULO VI

SÁBADO, 6 DE JULHO DE 2013

O Senhor Nunca nos Deixa Sozinhos

É sempre muito proveitoso ler e meditar sobre as Bem-aventuranças! ... Ao proclamar as Bem-aventuranças, Jesus nos convida a segui-Lo, a percorrer com Ele o caminho do amor, o único que conduz à vida eterna. Não é uma estrada fácil, mas o Senhor nos assegura a sua graça e nunca nos deixa sozinhos. Deparamo-nos com muitos desafios na vida: pobreza, aflições, humilhações, luta pela justiça, esforço da conversão diária, combates para viver o chamado à santidade, perseguições, e muitos outros. Mas se abrirmos a porta para Jesus, se O deixarmos entrar na nossa história, se partilharmos com Ele as nossas alegrias e sofrimentos, experimentaremos uma paz e uma alegria que só Deus, amor infinito, pode dar.

MENSAGEM PARA A 29ª JORNADA MUNDIAL DA JUVENTUDE, DO VATICANO

TERÇA-FEIRA, 21 DE JANEIRO DE 2014

Papa Francisco@Pontifex_pt · 10 de julho de 2013

"Se queremos seguir Cristo de perto, não podemos escolher uma vida fácil, tranquila. Deverá ser uma vida austera, mas repleta de alegria."

O Cristão não Pode ser Pessimista!

Caros amigos, se caminhamos na esperança, deixando-nos surpreender pelo vinho novo que Jesus nos oferece, há alegria no nosso coração e não podemos deixar de ser testemunhas dessa alegria. O cristão é alegre, nunca triste. Deus nos acompanha... O pecado e a morte foram derrotados. O cristão não pode ser pessimista! Não tem uma cara de quem parece estar sempre de luto. Se estivermos verdadeiramente enamorados de Cristo e sentirmos o quanto Ele nos ama, o nosso coração se "inflamará" de uma alegria tal que contagiará todos os que estiverem ao nosso lado.

HOMILIA, 28ª JORNADA MUNDIAL DA JUVENTUDE,
SANTUÁRIO DE NOSSA SENHORA APARECIDA, BRASIL
QUARTA-FEIRA, 24 DE JULHO DE 2013

Repelir o Derrotismo

Uma das tentações mais sérias que sufocam o fervor e a ousadia é a sensação de derrota que nos transforma em pessimistas lamurientos e desencantados de aspecto sombrio. Ninguém pode lançar-se numa batalha se não está de antemão plenamente confiante na vitória. Quem começa sem confiança perdeu antecipadamente metade da batalha e enterra os seus talentos. Mesmo com a dolorosa consciência das próprias fragilidades, é preciso seguir em frente sem se dar por vencido, e lembrar o que disse o Senhor a São Paulo: "Basta-te a minha graça, pois é na fraqueza que a força manifesta todo o seu poder" (2 Cor 12,9).

EXORTAÇÃO APOSTÓLICA, *EVANGELII GAUDIUM*, 85
DOMINGO, 24 DE NOVEMBRO DE 2013

É Lamentável um Bispo Triste!

As vossas famílias e as comunidades locais vos transmitiram o grande dom da fé; Cristo cresceu em vós. Hoje Ele deseja vir aqui para vos confirmar nessa fé, a fé no Cristo vivo que habita em vós. Mas eu também vim, para ser confirmado pelo entusiasmo da vossa fé! Sabeis que na vida de um bispo há muitos problemas que precisam ser resolvidos. E com esses problemas e dificuldades, a fé do bispo pode se abater. É lamentável um bispo triste! É lamentável! Para que a minha fé não se abata, vim aqui para ser contagiado pelo entusiasmo de todos vocês.

DISCURSO DE ACOLHIDA DOS JOVENS, 28A JORNADA MUNDIAL DA JUVENTUDE, RIO DE JANEIRO
QUINTA-FEIRA, 25 DE JULHO DE 2013

Papa Francisco@Pontifex_pt · 30 de janeiro de 2014
"Não consigo imaginar um cristão que não sabe sorrir. Demos testemunho da nossa fé com alegria."

Alegria Falsa e Alegria Verdadeira

Eu queria dizer-vos uma palavra; essa palavra é alegria. Onde se encontram pessoas consagradas, seminaristas, religiosas e religiosos, jovens, há alegria, há sempre alegria. É a alegria do frescor, é a alegria de se seguir Jesus; a alegria que o Espírito Santo nos dá, não a alegria do mundo...

Alguns dirão: a alegria nasce das coisas que possuímos, e então, pronto, a busca do último modelo de *smartphone*, da moto mais veloz, do carro vistoso... Mas eu vos digo, realmente, fico aborrecido quando vejo um padre ou uma freira com o último modelo de um carro: não se pode! Não se pode! Então pensais: e agora, padre, temos de ir de bicicleta? A bicicleta é coisa boa! Monsenhor Alfred vai de bicicleta, desloca-se de bicicleta. Penso que o carro é necessário porque há muito trabalho a ser feito e para se deslocar de um lado para o outro... mas usai um carro mais simples. E se gostais do modelo bonito, pensai em quantas crianças morrem de fome. Só isso! A alegria não nasce, não provém das coisas que possuímos!... A alegria nasce da gratuidade de um encontro!

DISCURSO A SEMINARISTAS, NOVIÇOS E NOVIÇAS,

SALA PAULO VI

SÁBADO, 6 DE JULHO DE 2013

Os Perigos do Consumismo

O grande risco do mundo atual, com a sua múltipla e avassaladora oferta de consumo, é uma tristeza individualista que brota do coração comodista e avaro, da busca desordenada de prazeres superficiais, da consciência isolada. Quando a vida interior se fecha nos próprios interesses, deixa de haver espaço para os outros, os pobres já não entram, já se deixa de ouvir a voz de Deus, de usufruir a doce alegria do seu amor, não palpita mais o entusiasmo de fazer o bem. Também os que creem correm esse risco, real e permanente. Muitos caem e se transformam em pessoas ressentidas, insatisfeitas, sem vida. Essa não é a escolha de uma vida digna e plena, esse não é o desígnio de Deus para nós, essa não é a vida no Espírito que emana do coração de Cristo ressuscitado.

EXORTAÇÃO APOSTÓLICA, *EVANGELII GAUDIUM*, 2
DOMINGO, 24 DE NOVEMBRO DE 2013

Foi-nos Confiada uma Grande Tarefa

A nossa sociedade tecnológica – já dizia Paulo VI – multiplica ao infinito as ocasiões de prazer, de distração, de curiosidade, mas não é capaz de levar o homem à verdadeira alegria. Tantas comodidades, tantas coisas bonitas, mas onde está a alegria? Para amar a vida não precisamos enchê-la de coisas, que depois se transformam em ídolos; precisamos que Jesus olhe por nós. É o seu olhar que nos diz: é bom que vivas, a tua vida não é inútil, porque te foi confiada uma grande tarefa. Esta é a verdadeira sabedoria: um olhar novo sobre a vida que nasce do encontro com Jesus.

DISCURSO AOS PARTICIPANTES DO
CONGRESSO PASTORAL DA DIOCESE DE ROMA
SEGUNDA-FEIRA, 16 DE JUNHO DE 2014

Abba, Fazei de nós Testemunhas Jubilosas!

Caros amigos, na Carta aos Romanos, o apóstolo Paulo afirma: "Todos os que são conduzidos pelo Espírito de Deus são filhos de Deus. Com efeito, não recebestes um espírito de escravos para recair no temor, mas recebestes um espírito de filhos adotivos, pelo qual clamamos: *Abba!* Pai!" (Rm 8,14-15). Peçamos ao Senhor que o dom do seu Espírito possa vencer o nosso temor, as nossas incertezas, também o nosso espírito inquieto, impaciente, e possa tornar-nos testemunhas jubilosas de Deus e do seu amor, adorando o Senhor na verdade e também no serviço ao próximo com mansidão e com o sorriso que o Espírito Santo sempre nos concede na alegria.

AUDIÊNCIA GERAL, PRAÇA SÃO PEDRO
QUARTA-FEIRA, 4 DE JUNHO DE 2014

CAPÍTULO SEIS

~ Simplicidade e Humildade ~

A pura e santa Simplicidade
envergonha todo o saber deste mundo,
toda sabedoria natural.
A santa Pobreza
envergonha toda cobiça, avareza
e todas as ansiedades desta vida.
A santa Humildade
envergonha o orgulho
e todos os habitantes deste mundo
e tudo o que está no mundo.[6]

– FRANCISCO DE ASSIS
"Os Louvores das Virtudes"

6. *Omnibus*, p. 132.

A Coragem de Viver com Sobriedade

Antes de mais nada, procurai ser livres em relação às coisas. O Senhor nos chama a um estilo de vida evangélico caracterizado pela sobriedade, chama-nos a não ceder à cultura do consumo. Trata-se de buscar o essencial, de aprender a despojar-nos de tantas coisas supérfluas e inúteis que nos sufocam. Desprendamo-nos da ambição de possuir, do dinheiro idolatrado e depois esbanjado. Coloquemos Jesus em primeiro lugar. Ele pode nos libertar das idolatrias que nos tornam escravos. Confiai em Deus, queridos jovens! Ele nos conhece, nos ama e não se esquece de nós. Assim como provê aos lírios do campo (cf. Mt 6,28), não deixará que nos falta nada! Mesmo para superar a crise econômica é preciso estar prontos a mudar o estilo de vida, a evitar tantos desperdícios. Do mesmo modo que é necessária a coragem da felicidade, precisamos também da coragem da sobriedade.

MENSAGEM PARA A 29A JORNADA MUNDIAL DA JUVENTUDE, DO VATICANO

TERÇA-FEIRA, 21 DE JANEIRO DE 2014

Aprender de Jesus, Manso e Humilde de Coração

Jesus promete dar descanso a todos, mas também nos faz um convite, que é como um mandamento: "Tomai sobre vós o meu jugo e aprendei de mim, porque sou manso e humilde de coração" (Mt 11,29). O "jugo" do Senhor consiste em carregar o fardo dos outros com amor fraterno. Depois de recebermos o alívio e o consolo de Cristo, é a nossa vez de ouvir o chamado a sermos alívio e consolo para os irmãos, com atitude mansa e humilde, à imitação do Mestre. A mansidão e a humildade do coração nos ajudam não só a carregar o fardo dos outros, mas também a não pesar sobre eles com as nossas opiniões pessoais, os nossos julgamentos, as nossas críticas ou a nossa indiferença.

ANGELUS, PRAÇA SÃO PEDRO
DOMINGO, 6 DE JULHO DE 2014

Papa Francisco@Pontifex_pt · 7 de agosto de 2014
"O cristão é alguém que pode desaparecer para que o Senhor possa aparecer, em seu coração e no coração dos outros."

O Que Significa ser "Bem-Aventurado"

As Bem-aventuranças de Jesus são novas. Na verdade, são revolucionárias. Apresentam um modelo de felicidade oposto à lógica deste mundo. Os que Jesus declarou bem-aventurados são vistos como inúteis, como "perdedores". O mundo exalta o sucesso a todo custo, a riqueza, a arrogância do poder e a autoafirmação em detrimento dos outros. Jesus oferece uma definição diferente do que significa ser "bem-aventurado"; Ele nos mostra o caminho para a vida e a felicidade, o caminho que Ele mesmo seguiu. Na verdade, o próprio Jesus é o caminho!

MENSAGEM AOS JOVENS HOLANDESES, DO VATICANO

SÁBADO, 28 DE JUNHO DE 2014

Papa Francisco@Pontifex_pt · 24 de julho de 2014

"É impossível ser verdadeiramente feliz quando se vive apegado ao dinheiro, ao orgulho, ao poder."

Cristãos "de Nome"

Com o Reino de Deus é assim: quem o encontra não têm dúvidas, sente que é isso que procurava, que esperava e que corresponde às suas aspirações mais autênticas. E é realmente assim: quem conhece Jesus, quem o encontra pessoalmente, fica fascinado, atraído por tanta bondade, tanta verdade, tanta beleza, e tudo numa grande humildade e simplicidade. Procurar Jesus, encontrar Jesus: eis o grande tesouro!

Muitas pessoas, muitos santos e santas, lendo o Evangelho de coração aberto, foram de tal modo tocados por Jesus, que se converteram a Ele. Lembremos São Francisco de Assis: ele já era cristão, embora um cristão "de nome", um cristão superficial. Quando leu o Evangelho, num momento decisivo da sua juventude, encontrou Jesus e descobriu o Reino de Deus, e então todos os seus sonhos de glória terrena se dissiparam. O Evangelho leva-nos a conhecer o Jesus verdadeiro, leva-nos a conhecer o Jesus vivo; fala-nos ao coração e transforma a nossa vida.

ANGELUS, PRAÇA SÃO PEDRO
DOMINGO, 27 DE JULHO DE 2014

Ninguém é Muito Pequeno, Cada Um Tem a sua Função

Se lermos o capítulo 12 da Primeira Carta de São Paulo aos Coríntios, veremos que não há grande nem pequeno na Igreja: cada um tem a sua função, a sua ajuda ao próximo... Ninguém deve sentir-se pequeno, demasiado pequeno em relação a outro muito grande. Todos somos pequenos diante de Deus, na humildade cristã, mas todos temos uma função. Todos! Como na Igreja... Quem é mais importante na Igreja? O Papa ou aquela velhinha que reza o terço pela Igreja todos os dias? Deus que o diga: eu não sei dizer. Mas cada um é importante nessa harmonia, porque a Igreja é a harmonia da diversidade. O corpo de Cristo é essa harmonia da diversidade, e é o Espírito Santo que faz a harmonia: Ele é o mais importante de todos. Foi isso que o senhor [o presidente da associação] disse, e eu desejo destacar. O importante é procurar a unidade, e não seguir a lógica de que o peixe grande come o pequeno.

DISCURSO AOS MEMBROS DA ASSOCIAÇÃO "CORALLO"

SALA CLEMENTINA

SÁBADO, 22 DE MARÇO DE 2014

A Força e a Humildade de Maria

Sempre que olhamos para Maria, voltamos a acreditar na força revolucionária da ternura e do afeto. Vemos n'Ela que a humildade e a ternura não são virtudes dos fracos, mas dos fortes, que não têm necessidade de maltratar os outros para se sentir importantes. Contemplando-A, descobrimos que aquela que louvava a Deus porque "depôs poderosos de seus tronos" e "despediu ricos de mãos vazias" (Lc 1,52-53) é a mesma que assegura o aconchego de um lar à nossa busca de justiça.

EXORTAÇÃO APOSTÓLICA, *EVANGELII GAUDIUM*, 288
DOMINGO, 24 DE NOVEMBRO DE 2013

À Imitação de Cristo e de São Francisco

Em primeiro lugar, procuremos compreender o que significa "pobres em espírito". Quando o filho de Deus se fez homem, escolheu um caminho de pobreza, de despojamento. Como diz São Paulo na Carta aos Filipenses: "Tende em vós o mesmo sentimento de Cristo Jesus: Ele tinha a condição divina, e não considerou o ser igual a Deus como algo a que se apegar ciosamente. Mas esvaziou-se a si mesmo, e assumiu a condição de servo, tomando a semelhança humana" (2,5-7). Jesus é Deus que se despoja da sua glória...

São Francisco de Assis compreendeu muito bem o segredo da Bem-aventurança dos pobres em espírito. De fato, quando Jesus lhe falou na pessoa do leproso e no Crucifixo, ele reconheceu a grandeza de Deus e a própria condição de humildade. Ao orar, o Pobrezinho de Assis passava horas perguntando ao Senhor: "Quem és Tu? Quem sou eu?" Despojou-se de uma vida abastada e leviana para desposar a "Senhora Pobreza", a fim de imitar Jesus e seguir o Evangelho ao pé da letra. Francisco viveu a *imitação de Cristo* pobre e o *amor aos pobres* de modo indissociável, como as duas faces de uma mesma moeda.

MENSAGEM PARA A 29ª JORNADA MUNDIAL DA JUVENTUDE, DO VATICANO

TERÇA-FEIRA, 21 DE JANEIRO DE 2014

Papa Francisco@Pontifex_pt · 24 de abril de 2014
"Um estilo de vida simples é bom para nós, ajuda-nos a partilhar melhor com os necessitados."

Cristo em Primeiro Lugar

O despojamento de São Francisco nos diz simplesmente o que ensina o Evangelho: seguir Jesus significa pô-lo em primeiro lugar, despojar-nos das tantas coisas que possuímos e que sufocam o nosso coração, renunciar a nós mesmos, tomar a cruz e carregá-la com Jesus. Despojar-nos do eu orgulhoso e desapegar-nos do desejo de ter, do dinheiro, que é um ídolo que possui.

ENCONTRO COM OS POBRES ASSISTIDOS PELA CÁRITAS,
RESIDÊNCIA EPISCOPAL, ASSIS
SEXTA-FEIRA, 4 DE OUTUBRO DE 2013

Papa Francisco@Pontifex_pt · 5 de agosto de 2014
"Se você acumular posses materiais, elas espoliarão a sua alma."

A Cultura do Bem-Estar nos Anestesia

Para sustentar um estilo de vida que exclui os outros ou mesmo para entusiasmar-se com esse ideal egoísta, desenvolveu-se uma globalização da indiferença. Quase inconscientemente, tornamo-nos incapazes de nos compadecer dos gritos de dor alheios, não choramos frente ao drama dos outros nem nos interessamos por cuidar deles, como se tudo fosse responsabilidade de terceiros, estranha a nós. A cultura do bem-estar nos anestesia e perdemos a calma se o mercado oferece alguma coisa que ainda não compramos, enquanto todas essas vidas ceifadas por falta de possibilidades nos parecem um mero espetáculo que não nos incomoda de modo algum.

EXORTAÇÃO APOSTÓLICA, *EVANGELII GAUDIUM*, 54
DOMINGO, 24 DE NOVEMBRO DE 2013

Tocar os Pobres e os Humildes é Tocar Cristo

Não é necessária uma pobreza teórica, mas a pobreza que aprendemos tocando a carne de Cristo pobre nos humildes, nos pobres, nos enfermos, nas crianças. Sede ainda hoje, para a Igreja e para o mundo, os postos avançados da atenção a todos os pobres e a todas as formas de miséria material, moral e espiritual, como superação de todo egoísmo na lógica do Evangelho que ensina a confiar na Providência divina.

MENSAGEM, SIMPÓSIO SOBRE A GESTÃO DOS BENS ECLESIÁSTICOS, PONTIFÍCIA UNIVERSIDADE ANTONIANA
SÁBADO, 8 DE MARÇO DE 2014

Papa Francisco@Pontifex_pt · 2 de junho de 2013
"O mundo nos diz para procurar o sucesso, o poder e o dinheiro; Deus nos diz para procurar a humildade, o serviço e o amor."

Ninguém Está Desobrigado de Preocupar-se com os Pobres

Ninguém deveria dizer que se mantém longe dos pobres porque as suas opções de vida implicam dar mais atenção a outras incumbências. Essa é uma desculpa frequente nos ambientes acadêmicos, empresariais ou profissionais, e até eclesiásticos. Embora se possa em geral dizer que a vocação e a missão própria dos fiéis leigos é a transformação das diversas realidades terrenas para que toda a atividade humana seja transformada pelo Evangelho, ninguém pode sentir-se desobrigado de preocupar-se com os pobres e com a justiça social: "A conversão espiritual, a intensidade do amor a Deus e ao próximo, o zelo pela justiça e pela paz, o sentido evangélico dos pobres e da pobreza são exigidos de todos". Temo que também essas palavras sejam objeto apenas de alguns comentários, sem um verdadeiro efeito prático. Não obstante, confio na abertura e na boa disposição dos cristãos, e peço que procureis comunitariamente novos caminhos para acolher essa renovada proposta.

EXORTAÇÃO APOSTÓLICA, *EVANGELII GAUDIUM*, 201
DOMINGO, 24 DE NOVEMBRO DE 2013

Papa Francisco@Pontifex_pt · 19 de julho de 2014
"O Senhor ama a quem dá com alegria. Aprendamos a ser generosos ao dar, livres do apego às posses materiais."

O Rosto de Cristo nos Pobres e nos Últimos

Nos pobres e nos últimos vemos o rosto de Cristo; amando e ajudando os pobres, amamos e servimos a Cristo. Os nossos esforços orientam-se também a fazer com que cessem no mundo as violações da dignidade humana, as discriminações e os abusos que, em muitos casos, estão na origem da miséria. Quando o poder, o luxo e o dinheiro se tornam ídolos, assumem a primazia sobre as exigências de uma distribuição equitativa das riquezas. Portanto, é necessário que as consciências se convertam à justiça, à igualdade, à sobriedade e à partilha.

MENSAGEM PARA A QUARESMA DE 2014, DO VATICANO
QUINTA-FEIRA, 26 DE DEZEMBRO DE 2013

Pobreza Evangélica e Evangelização Fecunda

Há uma relação profunda entre pobreza e evangelização, entre o tema da última Jornada Mundial da Juventude – "Ide e fazei que todas as nações se tornem discípulos (Mt 28,19) – e o tema deste ano: "Bem-aventurados os pobres em espírito, porque deles é o reino dos céus" (Mt 5,3). O Senhor quer uma Igreja pobre que evangelize os pobres. Quando enviou os Doze em missão, Jesus lhes disse: "Não leveis ouro, nem prata, nem cobre nos vossos cintos, nem alforje para o caminho, nem duas túnicas, nem sandálias, nem cajado, pois o operário é digno do seu sustento" (Mt 10,9-10). A pobreza evangélica é condição fundamental para a difusão do Reino de Deus.

MENSAGEM PARA A 29ª JORNADA MUNDIAL DA JUVENTUDE, DO VATICANO
TERÇA-FEIRA, 21 DE JANEIRO DE 2014

Papa Francisco@Pontifex_pt · 2 de agosto de 2014
"Quando não adoramos a Deus, adoramos alguma outra coisa. O dinheiro e o poder são ídolos falsos que muitas vezes tomam o lugar de Deus."

O Verdadeiro Poder Está no Serviço, na Humildade e no Amor

Nunca devemos esquecer que o poder verdadeiro, em qualquer nível, é o serviço, que tem o seu ápice luminoso na Cruz. Bento XVI, com grande sabedoria, relembrou muitas vezes à Igreja que se para o homem, frequentemente, autoridade é sinônimo de posse, de domínio, de sucesso, para Deus autoridade é sempre sinônimo de serviço, de humildade, de amor; significa entrar na lógica de Jesus que se inclina para lavar os pés dos apóstolos e que diz aos seus discípulos... (cf. Mt 20, 25-27).

Pensemos nos danos que causam ao Povo de Deus os homens e as mulheres de Igreja que são carreiristas, oportunistas, que "usam" o povo, a Igreja, os irmãos e as irmãs – aqueles a quem deveriam servir – como trampolim para interesses próprios e ambições pessoais. Eles causam enormes danos à Igreja.

DISCURSO ÀS PARTICIPANTES DA ASSEMBLEIA DA UNIÃO INTERNACIONAL DAS SUPERIORAS-GERAIS

SALA PAULO VI

QUARTA-FEIRA, 8 DE MAIO DE 2013

Papa Francisco@Pontifex_pt · 12 de junho de 2013
"Muitas são as formas de pobreza moral e material com que hoje nos deparamos em consequência da negação de Deus e da entronização de muitos ídolos em seu lugar!"

Mãe de Deus, Fortalecei-nos em Nossa Missão!

A Mãe do Redentor caminha à nossa frente e nos confirma continuamente na fé, na vocação e na missão. Com o seu exemplo de humildade e de disponibilidade à vontade de Deus, ajuda-nos a traduzir a nossa fé em um anúncio jubiloso e sem fronteiras do Evangelho. Assim a nossa missão será fecunda, porque é plasmada sobre a maternidade de Maria. A Ela confiamos o nosso itinerário de fé, os desejos do nosso coração, as nossas necessidades, as carências do mundo inteiro, especialmente a sua fome e sede de justiça, de paz e de Deus. Invoquemo-La todos juntos, três vezes, à imitação dos irmãos de Éfeso: Mãe de Deus! Mãe de Deus! Mãe de Deus! Amém.

HOMILIA, BASÍLICA DE SÃO PEDRO
SOLENIDADE DE MARIA SANTÍSSIMA, MÃE DE DEUS,
QUARTA-FEIRA, 1º DE JANEIRO DE 2014

Capítulo Sete

~ Lembrança Contínua dos Pobres! ~

Francisco, fazendo-se semelhante aos pobres em tudo, afligia-se ao ver alguém mais pobre do que ele, não pelo desejo de uma glória vã, mas por um sentimento de pura compaixão. Satisfeito mesmo com uma túnica grosseira, muitas vezes queria dividi-la com alguém mais pobre...

Um irmão insultou um mendigo, dizendo: "Tens certeza de que não és rico e apenas finges ser pobre?" Ao ouvir isso, São Francisco repreendeu o irmão... Ele costumava dizer: "Quem insulta os pobres insulta a Cristo; os pobres são os portadores do glorioso estandarte de Cristo, que se fez pobre por nós neste mundo". É por isso também que, quando encontrava pessoas pobres carregando madeira ou outras cargas pesadas, oferecia seus frágeis ombros para ajudá-las.[7]

– Tomás de Celano,
Primeira Vida de São Francisco

7. Trilogy, pp. 87-8.

Por Que Escolhi o Nome Francisco

Como sabeis, há vários motivos que me levaram a escolher o meu nome pensando em Francisco de Assis, uma figura bem conhecida muito além das fronteiras da Itália e da Europa, mesmo entre os que não professam a fé católica. Um dos primeiros é o amor de Francisco pelos pobres. Quantos pobres ainda existem no mundo! E quanto sofrimento eles suportam! Com o exemplo de Francisco de Assis, a Igreja tem procurado, sempre e em todos os cantos da terra, cuidar de quem está na indigência, bem como defendê-lo, e penso que em muitos dos vossos países podeis constatar a obra generosa de cristãos que se dedicam a ajudar os doentes, os órfãos, os sem-teto e os marginalizados, empenhando-se assim para construir sociedades mais humanas e mais justas.

DISCURSO AO CORPO DIPLOMÁTICO ACREDITADO
JUNTO À SANTA SÉ, SALA RÉGIA
SEXTA-FEIRA, 22 DE MARÇO DE 2013

Saiamos ao Encontro dos Pobres!

Todos nós precisamos passar por uma conversão em relação aos pobres. Devemos cuidar deles, ser sensíveis às suas necessidades espirituais e materiais. A vós, jovens, confio especialmente a tarefa de restabelecer a solidariedade no centro da cultura humana. Diante de antigas e novas formas de pobreza – desemprego, emigração, dependências as mais diversas – temos o dever de ser vigilantes e conscientes, vencendo a tentação da indiferença. Pensemos também naqueles que não se sentem amados, que não têm esperança no futuro, que renunciam a comprometer-se na vida porque se sentem desanimados, desiludidos, amedrontados. Precisamos aprender a estar com os pobres, não apenas a usar belas palavras sobre eles! Saiamos ao encontro deles, olhemos nos seus olhos, ouçamo-los. Os pobres nos oferecem uma oportunidade concreta de encontrar o próprio Cristo, de tocar a sua carne sofredora.

MENSAGEM PARA A 29ª JORNADA MUNDIAL DA JUVENTUDE, DO VATICANO

TERÇA-FEIRA, 21 DE JANEIRO DE 2014

Papa Francisco@Pontifex_pt · 23 de agosto de 2013
"Senhor, ensina-nos a sair de nós mesmos. Ensina-nos a ir para as ruas e manifestar o teu amor."

Somos Chamados a ser Amigos dos Pobres

Por isso, desejo uma Igreja pobre para os pobres. Eles têm muito a nos ensinar. Além de participar do *sensus fidei*, com os próprios sofrimentos conhecem o Cristo sofredor. É necessário que todos nos deixemos evangelizar por eles. A nova evangelização é um convite a reconhecer a força salvífica das suas vidas e a colocá-los no centro do caminho da Igreja. Somos chamados a descobrir Cristo neles, a emprestar-lhes a nossa voz nas suas causas, e também a ser seus amigos, a escutá-los, a compreendê-los e a acolher a misteriosa sabedoria que Deus quer comunicar-nos por meio deles.

EXORTAÇÃO APOSTÓLICA, *EVANGELII GAUDIUM*, 198
DOMINDO, 24 DE NOVEMBRO DE 2013

Compaixão não é Apenas Ter Pena

Neste domingo, o Evangelho apresenta-nos o milagre da multiplicação dos pães e dos peixes (Mt 14,13-21)...

Diante da multidão que o segue e – por assim dizer – "não o deixa em paz", Jesus não reage com irritação, não diz: "Essa gente me incomoda". Não, não! Ele reage com um sentimento de compaixão, porque sabe que não o procuram por curiosidade, mas por necessidade. Mas prestemos atenção: compaixão – o que Jesus sente – não é apenas ter pena; é mais! Significa *con-patire*, sofrer com, ou seja, identificar-se com o sofrimento do outro, a ponto de tomar esse sofrimento sobre si. Assim é Jesus: sofre junto a nós, sofre conosco, sofre por nós. E o sinal dessa compaixão são as numerosas curas que realizou. Jesus nos ensina a antepor as necessidades dos pobres às nossas. As nossas exigências, embora legítimas, nunca serão tão urgentes quanto as dos pobres, que não têm o necessário para viver.

ANGELUS, PRAÇA SÃO PEDRO
DOMINGO, 3 DE AGOSTO DE 2014

À Imitação do Nosso Mestre

À imitação do nosso Mestre, nós cristãos somos chamados a ver as misérias dos irmãos e irmãs, a tocá-las, a ocupar-nos delas e a agir concretamente para aliviá-las... Nos pobres e nos últimos, vemos o rosto de Cristo; amando e ajudando os pobres, amamos e servimos a Cristo. Os nossos esforços orientam-se também a fazer com que cessem no mundo as violações da dignidade humana, as discriminações e os abusos que, em muitos casos, estão na origem da miséria. Quando o poder, o luxo e o dinheiro se tornam ídolos, assumem a primazia sobre as exigências de uma distribuição equitativa das riquezas. Portanto, é necessário que as consciências se convertam à justiça, à igualdade, à sobriedade e à partilha.

MENSAGEM PARA A QUARESMA DE 2014, DO VATICANO
QUINTA-FEIRA, 26 DE DEZEMBRO DE 2013

Papa Francisco@Pontifex_pt · 9 de dezembro de 2013
"Vendo alguém que precisa de ajuda, ficamos parados? Há muito sofrimento e pobreza, e uma necessidade enorme de bons samaritanos."

Discípulos Autênticos

Quando São Paulo se dirigiu aos apóstolos em Jerusalém para verificar se estava "correndo ou havia corrido em vão" (Gal 2,2), o critério-chave de autenticidade que lhe indicaram foi que não se esquecesse dos pobres (cf. Gal 2,10). Esse critério importante, estabelecido para que as comunidades paulinas não se deixassem arrastar pelo estilo de vida individualista dos pagãos, continua atual em nossos dias, quando tende a desenvolver-se um novo paganismo individualista. Nem sempre conseguimos manifestar adequadamente a beleza própria do Evangelho, mas há um sinal que nunca deve faltar: a opção pelos últimos, por aqueles que a sociedade rejeita e exclui.

EXORTAÇÃO APOSTÓLICA, *EVANGELII GAUDIUM*, 195
DOMINGO, 24 DE NOVEMBRO DE 2013

Não Podemos Servir a Dois Senhores

Não podemos servir a dois senhores: a Deus e à riqueza. Enquanto cada um procurar acumular para si, jamais haverá justiça. Devemos ouvir bem isto! Enquanto cada um procurar acumular para si, jamais haverá justiça. Se, ao contrário, confiando na providência divina, procurarmos o seu Reino juntos, a ninguém faltará o necessário para viver com dignidade.

ANGELUS, PRAÇA SÃO PEDRO
DOMINGO, 2 DE MARÇO DE 2014

Desconfio da Esmola que não Custa

Será proveitoso perguntar-nos do que podemos nos privar a fim de ajudar e enriquecer outros com a nossa pobreza. Não esqueçamos que a verdadeira pobreza dói: sem essa dimensão penitencial, nenhum despojamento seria válido. Desconfio da esmola que não custa e não dói.

MENSAGEM PARA A QUARESMA DE 2014, DO VATICANO
QUINTA-FEIRA, 26 DE DEZEMBRO DE 2013

Precisamos Criar uma Cultura de Encontro

Às vezes, pergunto a alguém: "Você dá esmolas?"

Respondem: "Sim, padre".

"E quando você dá esmola, olha nos olhos da pessoa que recebe?"

"Ah, não sei, não me dou conta."

"Então você não encontrou a pessoa realmente. Você jogou a esmola e foi embora. Quando dá esmola, você toca a mão da pessoa ou joga a moeda?"

"Jogo a moeda."

"Então não tocou a pessoa. E se não a tocou, não a encontrou."

O que Jesus nos ensina, antes de tudo, é encontrar-nos uns aos outros e, encontrando-nos, ajudar. Devemos saber encontrar-nos. Precisamos edificar, criar, construir uma cultura do encontro. Como diz o tema: "Encontrar-nos com os mais necessitados", ou seja, com aqueles que têm mais carências do que eu. Com aqueles que passam por um mau momento, pior do que o meu. Há sempre alguém que está pior, eh? Sempre!

MENSAGEM AOS FIÉIS DE BUENOS AIRES,
DO VATICANO, FESTA DE SÃO CAETANO
QUARTA-FEIRA, 7 DE AGOSTO DE 2013

A Inclusão dos Pobres na Sociedade

Da nossa fé em Cristo, que se fez pobre e sempre esteve próximo dos pobres e dos excluídos, deriva a preocupação com o desenvolvimento integral dos mais abandonados da sociedade.

Unidos a Deus, ouvimos um clamor:

Cada cristão e cada comunidade é chamado a ser instrumento de Deus para a libertação e promoçao dos pobres, de modo que possam integrar-se plenamente na sociedade. Isso supõe que sejamos dóceis e atentos ao clamor do pobre e saiamos em sua ajuda... A antiga pergunta sempre retorna: "Se alguém, possuindo os bens deste mundo, vê o seu irmão na necessidade e lhe fecha o coração, como permanecerá nele o amor de Deus?" (1 Jo 3,17). Lembremos também a convicção com que o apóstolo Tiago retomava a imagem do clamor dos oprimidos: "Lembrai-vos de que o salário, do qual privastes os trabalhadores que ceifaram os vossos campos, clama, e os gritos dos ceifeiros chegaram aos ouvidos do Senhor dos exércitos" (5,4).

EXORTAÇÃO APOSTÓLICA, *EVANGELII GAUDIUM,* 186-187
DOMINGO, 24 DE NOVEMBRO DE 2013

A Verdadeira Caridade Exige Justiça

Não é suficiente dar um pãozinho se não for acompanhado da possibilidade de aprender a caminhar com as próprias pernas. A caridade que deixa o pobre na mesma condição em que se encontra não é suficiente. A verdadeira misericórdia, a misericórdia que Deus nos concede e ensina, exige justiça, exige que o pobre encontre o caminho para deixar de ser pobre. Essa misericórdia pede – a nós, Igreja, a nós, Cidade de Roma, às instituições – pede que ninguém volte a precisar de um refeitório comunitário, de um albergue de passagem, de um serviço de assistência social para ver reconhecido o próprio direito a viver e trabalhar, a ser plenamente uma pessoa.

DISCURSO NO "CENTRO ASTALLI" PARA
ASSISTÊNCIA AOS REFUGIADOS, ROMA
TERÇA-FEIRA, 10 DE SETEMBRO DE 2013

Papa Francisco@Pontifex_pt · 21 de setembro de 2013
"A verdadeira caridade exige coragem: vençamos o medo de sujar as mãos e assim ajudar os que estão em necessidade."

Precisamos de Comunidades Que Vivam o Amor de Modo Concreto!

Queridos religiosos e religiosas, os conventos vazios não servem à Igreja para ser transformados em hotéis e ganhar dinheiro. Os conventos vazios não são vossos, são para a carne de Cristo, que são os refugiados. O Senhor chama a viver com mais coragem e generosidade o acolhimento nas comunidades, nas casas e nos conventos vazios. Certamente, não é algo simples; são necessários critério, responsabilidade e também coragem. Fazemos muita coisa, mas talvez sejamos chamados a fazer mais, acolhendo e partilhando com decisão o que a Providência nos deu para servir. Superar a tentação da mundanidade espiritual para estar próximos das pessoas simples, especialmente dos últimos. Precisamos de comunidades solidárias que vivam o amor de modo concreto!

DISCURSO NO "CENTRO ASTALLI" PARA
ASSISTÊNCIA AOS REFUGIADOS, ROMA
TERÇA-FEIRA, 10 DE SETEMBRO DE 2013

Papa Francisco@Pontifex_pt · 26 de abril de 2014
"Ninguém pode pensar que está desobrigado de preocupar-se com os pobres e com a justiça social."

Não Há "Vidas Descartáveis"

O homem reconciliado vê em Deus o Pai de todos e, como consequência, é solicitado a viver uma fraternidade aberta a todos. Em Cristo, o outro é acolhido e amado como filho ou filha de Deus, como irmão ou irmã, não como um estranho, muito menos como rival ou mesmo inimigo. Na família de Deus, em que todos são filhos de um mesmo Pai, e porque enxertados em Cristo, *filhos no Filho*, não há "vidas descartáveis". Todos gozam de igual e inviolável dignidade. Todos são amados por Deus; todos foram resgatados pelo sangue de Cristo, que morreu na Cruz e ressuscitou por todos. Essa é a razão pela qual ninguém pode ficar indiferente diante da sorte dos irmãos.

MENSAGEM PARA A CELEBRAÇÃO DO DIA MUNDIAL DA PAZ
QUARTA-FEIRA, 1º DE JANEIRO DE 2014

Uma Economia Que Mata

Assim como o mandamento "Não matar" fixa um limite claro para salvaguardar o valor da vida humana, também hoje devemos dizer "não" a uma economia da exclusão e da desigualdade. Essa economia mata. Não é possível que não seja noticiado o fato de um idoso morrer congelado na rua e seja notícia a queda de dois pontos na bolsa de valores. Isso é exclusão. Não podemos mais tolerar o desperdício de alimentos, quando milhões de pessoas passam fome. Isso é desigualdade. Hoje tudo entra no jogo da competividade e da lei do mais forte, em que o poderoso engole o mais fraco. A consequência dessa situação é que grandes massas da população se veem excluídas e marginalizadas: sem trabalho, sem perspectivas, sem saída.

EXORTAÇÃO APOSTÓLICA, *EVANGELII GAUDIUM*, 53
DOMINGO, 24 DE NOVEMBRO DE 2013

Papa Francisco@Pontifex_pt · 25 de julho de 2013
"A medida da grandeza de uma sociedade está no modo como ela trata os mais necessitados, os que não têm nada além da própria pobreza."

Rumo a um Mundo Melhor

O mundo só poderá melhorar se a atenção for dirigida, em primeiro lugar, à pessoa; se a promoção da pessoa for integral, em todas as suas dimensões, incluindo a espiritual; se ninguém for deixado de lado, e isso inclui os pobres, os doentes, os presos, os necessitados e os estrangeiros (cf. Mt 25,31-46); se formos capazes de passar de uma cultura do descartável para uma cultura do encontro e do acolhimento. Migrantes e refugiados não são peões no tabuleiro de xadrez da humanidade. São crianças, mulheres e homens que abandonam ou são forçados a abandonar as suas casas por vários motivos, que partilham o mesmo desejo legítimo de conhecer, de ter, mas acima de tudo, de ser mais... Cada ser humano é filho de Deus! Nele está impressa a imagem de Cristo! Trata-se, então, de vermos nós primeiro e de ajudar os outros a verem no migrante e no refugiado não só um problema a resolver, mas um irmão e uma irmã a acolher, respeitar e amar; trata-se de uma oportunidade que a Providência nos oferece para contribuir com a construção de uma sociedade mais justa, uma democracia mais completa, um país mais solidário, um mundo mais fraterno e uma comunidade cristã mais aberta, segundo o Evangelho.

MENSAGEM PARA O DIA MUNDIAL DO MIGRANTE E REFUGIADO, 2014 DO VATICANO
SEGUNDA-FEIRA, 5 DE AGOSTO DE 2013

Papa Francisco@Pontifex_pt · 8 de julho de 2013
"Rezamos para um coração que acolha os imigrantes. Deus nos julgará pela maneira como tratamos os mais necessitados."

Os Pobres são a Nossa Prioridade

O anúncio do Evangelho destina-se em primeiro lugar aos pobres, aos que normalmente não têm o necessário para viver uma vida digna. A eles é anunciada primeiro a feliz mensagem de que Deus os ama com predileção e vem visitá-los por meio das obras de caridade que os discípulos de Cristo realizam em Seu nome. Antes de tudo, ir ao encontro dos pobres: eis o que é primordial. No momento do Juízo Final, como podemos ler em Mateus 25, todos seremos julgados segundo esse critério.

DISCURSO NO CONGRESSO ECLESIAL DA DIOCESE DE ROMA, SALA PAULO VI
SEGUNDA-FEIRA, 17 DE JUNHO DE 2013

Apelo a Todas as Pessoas de Boa Vontade

Eu gostaria de fazer um apelo a quem possui mais recursos, às autoridades públicas e a todas as pessoas de boa vontade comprometidas com a justiça social: não se cansem de trabalhar por um mundo mais justo e mais solidário! Ninguém pode permanecer insensível às desigualdades que persistem no mundo! Cada um, na medida das próprias oportunidades e responsabilidades, saiba dar a sua contribuição para acabar com tantas injustiças sociais. Não é a cultura do egoísmo e do individualismo, que frequentemente regula a nossa sociedade, repito, não é essa cultura que constrói e conduz a um mundo mais habitável. Não é ela, mas sim a cultura da solidariedade. Cultura da solidariedade é ver no outro não um concorrente ou um número, mas um irmão e irmã. E todos nós somos irmãos!

DISCURSO À COMUNIDADE DE VARGINHA
(MANGUINHOS), RIO DE JANEIRO
QUINTA-FEIRA, 25 DE JULHO DE 2013

PREFIRO UMA IGREJA FERIDA E SUJA

Saiamos, saiamos a oferecer a todos a vida de Jesus Cristo. Repito aqui, para toda a Igreja, o que muitas vezes disse aos sacerdotes e leigos de Buenos Aires: prefiro uma Igreja acidentada, ferida e suja por ter saído às ruas, a uma Igreja doente por fechar-se em si mesma e apegar-se à própria segurança. Não quero uma Igreja preocupada em ser o centro e que acaba presa num emaranhado de obsessões e procedimentos. Se algo deve nos inquietar justificadamente e preocupar a nossa consciência, é o fato de muitos irmãos e irmãs nossos viverem sem a força, a luz e o consolo da amizade com Jesus Cristo, sem uma comunidade de fé que os acolha, sem um horizonte de sentido e de vida. Mais do que o medo de errar, espero que nos mova o medo de nos trancarmos nas estruturas que nos dão uma falsa proteção, nas normas que nos transformam em juízes implacáveis, nos hábitos em que nos sentimos tranquilos, enquanto fora há uma multidão faminta e Jesus nos repete sem cessar: "Dai-lhes vós mesmos de comer" (Mc 6,37).

EXORTAÇÃO APOSTÓLICA, *EVANGELII GAUDIUM*, 49
DOMINGO, 24 DE NOVEMBRO DE 2013

Capítulo Oito

~ O Anúncio Incessante do Evangelho ~

São Francisco enchia a terra inteira com o Evangelho de Cristo, de tal modo que muitas vezes, num único dia, chegava a cumprir um itinerário de quatro ou cinco vilas e até cidades, pregando o reino de Deus a todos. Edificando os ouvintes tanto com palavras quanto com o exemplo, o seu corpo todo falava.[8]

–Tomás de Celano
Primeira Vida de São Francisco, 97

8. *Omnibus*, p. 311.

Primeiro Testemunho, Depois Palavras

Aqui em Assis, perto da Porciúncula, tenho a impressão de ouvir a voz de São Francisco, que nos repete: "Evangelho, Evangelho!" Ele diz também a mim, aliás, primeiro a mim: Papa Francisco, seja servidor do Evangelho!...

Então o Evangelho, esta mensagem de salvação, tem dois propósitos interligados: o primeiro, suscitar a fé, obra da evangelização; o segundo, transformar o mundo segundo o desígnio de Deus, e consiste na animação cristã da sociedade. Mas não são duas coisas separadas; constituem uma única missão: anunciar o Evangelho com o testemunho da nossa vida para transformar do mundo!...

Olhemos para Francisco: ele fez as duas coisas, com a força do único Evangelho. Francisco fez crescer a fé, renovando a Igreja; ao mesmo tempo, renovou a sociedade, tornando-a mais fraterna, mas sempre com o Evangelho, com o testemunho. Sabeis o que disse Francisco certa vez aos seus irmãos? "Pregai sempre o Evangelho e, se necessário, também com palavras!" Mas como? É possível pregar o Evangelho sem palavras? Sim! Com o testemunho! Primeiro o testemunho, depois as palavras!

DISCURSO AOS JOVENS DA ÚMBRIA,
PRAÇA DA BASÍLICA DE SANTA MARIA DOS ANJOS, ASSIS
SEXTA-FEIRA, 4 DE OUTUBRO DE 2013

Somos Chamados a ser Mensageiros da Esperança

O Evangelho é o verdadeiro antídoto contra a penúria espiritual: o cristão é chamado a levar aonde for o anúncio libertador de que existe o perdão do mal cometido, de que Deus é maior do que o nosso pecado e nos ama gratuitamente, sempre, e de que somos feitos para a comunhão e para a vida eterna. O Senhor nos convida a ser arautos jubilosos dessa mensagem de misericórdia e esperança! É bom sentir a alegria de difundir essa boa notícia, de partilhar o tesouro que nos foi confiado para consolar os corações dilacerados e dar esperança a tantos irmãos e irmas imersos na escuridão. Trata-se de seguir e imitar Jesus, que foi ao encontro dos pobres e dos pecadores como o pastor à procura da ovelha perdida, movido por puro amor. Unidos a Ele, podemos abrir com coragem novos caminhos de evangelização e de promoção humana.

MENSAGEM PARA A QUARESMA DE 2014, DO VATICANO
QUINTA-FEIRA, 26 DE DEZEMBRO DE 2013

Papa Francisco@Pontifex_pt · 19 de junho de 2014
"Não há motivo para perder a esperança. Jesus diz: 'Estarei convosco até o final dos tempos'."

Todo o Nosso Ser Deve Falar de Deus

Nas nossas cidades e povoados existem homens corajosos e outros tímidos, há cristãos missionários e outros adormecidos. E há muitos que estão buscando, embora não o admitam. Cada um é chamado, cada um é enviado. No entanto, a sede paroquial não é necessariamente o único local do chamado; e o momento não é necessariamente um evento paroquial festivo. O chamado de Deus pode chegar a nós na linha de produção da fábrica, no escritório, no supermercado ou no lanço de uma escada, ou seja, nos locais da vida diária.

Falar de Deus, levar aos homens a mensagem do amor de Deus e da salvação em Jesus Cristo é tarefa de todos os batizados. E essa tarefa compreende não apenas o uso de palavras, mas todo o nosso agir e fazer. Todo o nosso ser deve falar de Deus, até nas coisas simples. Assim o nosso testemunho será autêntico, e também sempre novo e vigoroso na força do Espírito Santo.

DISCURSO AOS BISPOS DA ÁUSTRIA, VISITA "*AD LIMINA*"
QUINTA-FEIRA, 30 DE JANEIRO DE 2014

Papa Francisco@Pontifex_pt · 30 de maio de 2014
"Todo cristão pode dar testemunho de Deus no local do trabalho, não apenas com palavras, mas acima de tudo com uma vida honesta."

O Evangelho é Verdade, Amor e Beleza

Há tantas pessoas necessitadas, tantas... Também necessitadas de Deus, com fome – não de pão, têm muito pão – de Deus! E ir até elas, para dizer esta verdade: Jesus Cristo é o Senhor e ele te salva. Mas ir sempre e tocar a carne de Cristo! Não se pode pregar um Evangelho meramente intelectualizado: o Evangelho é verdade, e é também amor e beleza! Essa é a alegria do Evangelho! Essa é precisamente a alegria do Evangelho.

DISCURSO NA IGREJA PENTECOSTAL DA RECONCILIAÇÃO, CASERTA
SEGUNDA-FEIRA, 28 DE JULHO DE 2014

Cura Para a Nossa Tristeza Infinita

Quando conseguimos exprimir o conteúdo essencial do Evangelho de modo adequado e belo, seguramente essa mensagem responde aos anseios mais profundos dos corações...

O entusiasmo na evangelização baseia-se nessa convicção. Temos à disposição um tesouro de vida e de amor que não pode enganar, a mensagem que não pode manipular nem iludir. É uma resposta que penetra nas profundezas do ser humano e que pode sustentá-lo e elevá-lo. É a verdade que não passa de moda porque é capaz de ir aonde nada mais consegue chegar. A nossa tristeza infinita só pode ser curada com um amor infinito.

EXORTAÇÃO APOSTÓLICA, *EVANGELII GAUDIUM,* 265
DOMINGO, 24 DE NOVEMBRO DE 2013

Sinais da Luz e do Amor de Cristo

Qual é a missão desse povo de Deus? Levar a esperança e a salvação de Deus ao mundo: ser sinal do amor de Deus que chama todos à amizade com ele; ser levedo que fermenta toda a massa, sal que dá sabor e preserva da corrupção, luz que ilumina. À nossa volta – basta abrir um jornal, como eu disse – vemos que a presença do mal existe, que o Diabo age. Mas eu gostaria de dizer em voz alta: Deus é mais forte! Acreditais nisto, que Deus é mais forte? Então digamos juntos, todos juntos: Deus é mais forte! E sabeis por que é mais forte? Porque ele é o Senhor, o único Senhor. E eu gostaria de acrescentar que a realidade, às vezes sombria e marcada pelo mal, pode mudar, se formos os primeiros a transmitir a luz do Evangelho, principalmente por meio da nossa própria vida. Se num estádio – digamos o estádio Olímpico em Roma ou o do São Lourenço em Buenos Aires – numa noite escura, alguém acende uma luz, esta mal consegue ser vista; mas se os outros 70 mil espectadores acendem a própria luz, o estádio inteiro se ilumina. Façamos com que a nossa vida seja uma luz de Cristo; juntos levaremos a luz do Evangelho a toda a realidade.

AUDIÊNCIA GERAL, PRAÇA SÃO PEDRO
QUARTA-FEIRA, 12 DE JUNHO DE 2013

Papa Francisco@Pontifex_pt · 5 de maio de 2014
"O que significa 'evangelizar'? Com alegria e simplicidade, dar testemunho do que somos e daquilo em que cremos."

Portadores da Palavra de Vida

A vós, queridos irmãos e irmãs, digo: sede portadores da Palavra de vida em toda parte, nos nossos bairros, nos locais de trabalho e onde quer que as pessoas se encontrem e desenvolvam relações. Deveis sair. Não compreendo comunidades cristãs fechadas, na paróquia.

DISCURSO AOS PARTICIPANTES DO CONGRESSO ECLESIAL
DA DIOCESE DE ROMA, SALA PAULO VI
SEGUNDA-FEIRA, 17 DE JUNHO DE 2013

Paixão pelo Povo de Deus

A palavra de Deus nos convida também a reconhecer que somos povo: "Vós que outrora não éreis povo, agora sois o povo de Deus" (1Pd 2,10). Para ser evangelizadores autênticos, é preciso também desenvolver o gosto espiritual de estar perto da vida das pessoas, até descobrir que isso se torna fonte de uma alegria superior. A missão é uma paixão por Jesus, mas é ao mesmo tempo uma paixão pelo seu povo. Quando nos detemos diante de Jesus crucificado, reconhecemos todo o seu amor que nos dignifica e sustenta, mas nesse mesmo momento, se não formos cegos, começamos a perceber que aquele olhar de Jesus se estende e dirige cheio de afeto e de ardor a todo o seu povo. Assim descobrimos novamente que Ele quer servir-se de nós para chegar cada vez mais perto do seu povo amado. Toma-nos do meio do povo e nos envia ao povo, de modo que não é possível compreender a nossa identidade mais profunda sem esse sentido de pertencimento.

EXORTAÇÃO APOSTÓLICA, *EVANGELII GAUDIUM*, 268

DOMINGO, 24 DE NOVEMBRO DE 2013

Perdemos as Outras 99!

Quero dizer-vos uma coisa. Uma bela passagem no Evangelho nos fala do pastor que, ao voltar ao redil, percebendo a falta de uma ovelha, deixa as 99 e vai procurá-la; sai em busca de uma. Mas irmãos e irmãs, nós temos uma ovelha; faltam-nos 99! Precisamos sair, precisamos ir a elas! Nesta cultura – digamos a verdade – temos só uma, somos minoria! Será que sentimos o fervor, o zelo apostólico de sair e ir ao encontro das outras 99? Essa é uma responsabilidade enorme e precisamos pedir ao Senhor a graça da generosidade, da coragem e da paciência para sair, para ir e anunciar o Evangelho. Ah, isso é difícil. É mais fácil ficar em casa com aquela única ovelha! É mais fácil ficar com aquela ovelhinha, escovando-a, afagando-a... mas nós, sacerdotes, e também vós cristãos, todos nós: o Senhor quer que sejamos pastores, não que fiquemos escovando ovelhas; pastores!

DISCURSO AOS PARTICIPANTES DO CONGRESSO ECLESIAL
DA DIOCESE DE ROMA, SALA PAULO VI
SEGUNDA-FEIRA, 17 DE JUNHO DE 2013

CHAMADOS A SER MISSIONÁRIOS

Vendo vocês aqui presentes hoje, lembro a história de São Francisco de Assis. Diante do crucifixo, ele ouve a voz de Jesus, que lhe diz: "Francisco, vai e repara a minha casa". O jovem Francisco responde com presteza e generosidade a esse chamado do Senhor de reparar a sua casa. Mas que casa? Aos poucos ele se dá conta de que não se tratava de se tornar um pedreiro e consertar um edifício feito de pedras, mas de dar a sua contribuição para a vida da Igreja; era colocar-se a serviço da Igreja, amando-a e trabalhando para que nela se refletisse sempre mais a face de Cristo. Também hoje o Senhor continua precisando de vocês, jovens, para a sua Igreja. Queridos jovens, o Senhor precisa de vocês! Também hoje chama cada um de vocês a segui-Lo na sua Igreja e ser missionário. Queridos jovens, hoje o Senhor os chama. Não em turba, mas um a um... cada um. Escutem no coração o que ele lhes diz.

DISCURSO – VIGÍLIA DE ORAÇÃO COM OS JOVENS,
28ª JORNADA MUNDIAL DA JUVENTUDE, COPACABANA
SÁBADO, 27 DE JULHO DE 2013

Papa Francisco@Pontifex_pt · 25 de março de 2014
"Não podemos ser discípulos tímidos. A Igreja precisa da nossa coragem para dar testemunho da verdade."

Dizei a Todos, "Vinde e Vede!"

A mensagem que os cristãos levam ao mundo é esta: Jesus, o Amor encarnado, morreu na cruz pelos nossos pecados, mas Deus Pai O ressuscitou e O fez Senhor da vida e da morte. Em Jesus, o Amor triunfou sobre o ódio, a misericórdia sobre o pecado, o bem sobre o mal, a verdade sobre a falsidade, a vida sobre a morte.

Por isso, dizemos a todos: "Vinde e vede!" Em toda situação humana, marcada pela fragilidade, pelo pecado e pela morte, a Boa-Nova não é apenas uma palavra, mas um testemunho de amor gratuito e fiel: é sair de si mesmo para ir ao encontro do outro, é estar perto de quem é ferido pela vida, é dividir com quem não tem o necessário, é ficar ao lado de quem está doente, é idoso ou excluído... "Vinde e vede!": o Amor é mais forte, o amor dá vida, o amor faz florescer a esperança no deserto.

URBI ET ORBI, SACADA DA BASÍLICA DE SÃO PEDRO
DOMINGO DE PÁSCOA, 20 DE ABRIL DE 2014

Espero Que Façam Barulho!

Desejo dizer-lhes que resultado espero da Jornada da Juventude: espero que façam barulho! Aqui farão barulho, farão. Aqui no Rio farão muito barulho, sem dúvida. Quero que se façam ouvir nas dioceses, quero que saiam, quero que a Igreja saia pelas estradas, quero que nos defendamos de tudo o que é mundanismo, imobilismo, do que é comodidade, do que é clericalismo, de tudo o que é viver fechados em nós mesmos. As paróquias, as escolas, as instituições são feitas para sair... se não fazem isso, tornam-se uma ONG, e a Igreja não pode ser uma ONG. Que me perdoem os bispos e os sacerdotes, se alguns depois lhes criarem confusão. Mas este é o meu conselho. Obrigado pelo que vocês puderem fazer.

DISCURSO – ENCONTRO COM OS JOVENS ARGENTINOS,
28ª JORNADA MUNDIAL DA JUVENTUDE, RIO DE JANEIRO
QUINTA-FEIRA, 25 DE JULHO DE 2013

Evangelizadores Audazes, com Espírito

Evangelizadores com Espírito quer dizer evangelizadores que se abrem sem medo à ação do Espírito Santo. No Pentecostes, o Espírito faz os apóstolos saírem de si mesmos e os transforma em anunciadores das maravilhas de Deus, que cada um começa a entender na própria língua. Além disso, o Espírito Santo infunde a força para anunciar a Boa-Nova do Evangelho com audácia (*parresía*), em voz alta e em todo tempo e lugar, mesmo à contracorrente. Invoquemo-Lo hoje, firmemente apoiados na oração, sem a qual toda ação corre o risco de se esvaziar e o anúncio de ficar sem alma. Jesus quer evangelizadores que anunciem a Boa-Nova não apenas com palavras, mas acima de tudo com uma vida transfigurada pela presença de Deus.

EXORTAÇÃO APOSTÓLICA, *EVANGELII GAUDIUM*, 259
DOMINGO, 24 DE DEZEMBRO DE 2013

Papa Francisco@Pontifex_pt · 14 de abril de 2013
"Não nos esqueçamos: para anunciar o Evangelho de Jesus, a nossa vida deve ser um testemunho do que pregamos."

Não Assedieis as Pessoas com Mensagens Religiosas

O testemunho cristão não se faz com o bombardeio de mensagens religiosas, mas com a vontade de se doar aos outros "por meio da disponibilidade de envolver-se pacientemente e com respeito nas suas questões e nas suas dúvidas, no caminho de busca da verdade e do sentido da existência humana" (Bento XVI, Mensagem para o 47º Dia Mundial das Comunicações Sociais, 2013). Pensemos no episódio dos discípulos de Emaús. É preciso saber inserir-se no diálogo com os homens e mulheres de hoje para compreender as suas expectativas, dúvidas e esperanças, e oferecer-lhes o Evangelho, isto é, Jesus Cristo, Deus feito homem, que morreu e ressuscitou para nos libertar do pecado e da morte. O desafio requer profundidade, atenção à vida, sensibilidade espiritual. Dialogar significa estar convencidos de que o outro tem algo de bom a dizer, dar espaço ao seu ponto de vista, às suas propostas. Dialogar não significa renunciar às próprias ideias e tradições, mas à pretensão de que sejam únicas e absolutas.

MENSAGEM PARA O 48ª DIA MUNDIAL DAS COMUNICAÇÕES SOCIAIS, DO VATICANO
MEMÓRIA DE SÃO FRANCISCO DE SALES
SEXTA-FEIRA, 24 DE JANEIRO DE 2014

Papa Francisco@Pontifex_pt · 2 de agosto de 2013
"A segurança da fé não nos imobiliza nem nos isola, mas nos envia para dar testemunho e dialogar com todas as pessoas."

O Testemunho de Vida

Lembremos bem todos: não se pode anunciar o Evangelho de Jesus sem o testemunho concreto da vida. Quem nos ouve e vê deve poder ler nas nossas ações o que ouve da nossa boca e dar glória a Deus!... A incoerência dos fiéis e dos clérigos entre o que dizem e o que fazem, entre a palavra e o modo de viver, mina a credibilidade da Igreja.

HOMILIA, BASÍLICA DE SÃO PAULO EXTRAMUROS
DOMINGO, 14 DE ABRIL DE 2013

A Igreja no Ambiente Digital

Entre uma Igreja machucada que sai pelos caminhos e uma Igreja doente por ficar absorta em si mesma, não tenho dúvidas em preferir a primeira. Os "caminhos" são todos os lugares onde as pessoas vivem e onde podemos encontrá-las efetiva e afetivamente. Entre esses caminhos há também os digitais, congestionados de humanidade, muitas vezes ferida: homens e mulheres que buscam salvaçao ou esperança. Também graças à rede, a mensagem cristã pode viajar "até os confins da terra" (Atos 1,8). Abrir as portas das igrejas significa abri-las também no ambiente digital, seja para que as pessoas entrem, quaisquer que sejam as condições de vida em que se encontrem, seja para que o Evangelho possa cruzar o limiar do templo e sair ao encontro de todos. Somos chamados a testemunhar de uma Igreja que seja casa de todos.

MENSAGEM PARA O 48º DIA MUNDIAL DAS COMUNICAÇÕES SOCIAIS, DO VATICANO
MEMÓRIA DE SÃO FRANCISCO DE SALES
SEXTA-FEIRA, 24 DE JANEIRO DE 2014

Papa Francisco@Pontifex_pt · 23 de setembro de 2013
"A Igreja não tem outro significado e finalidade senão ser testemunha de Jesus. Não esqueçamos isso."

Sejamos Estrelas Que Refletem a Luz de Cristo

Peçamos a Deus por toda a Igreja; peçamos a alegria de evangelizar, porque "foi enviada por Cristo a revelar e comunicar a caridade de Deus a todos os povos" (Ad Gentes, 10). A Virgem Maria nos ajude a todos a sermos discípulos-missionários, pequenas estrelas que refletem a sua luz. Rezemos também para que os corações se abram para acolher o anúncio e para que todos os homens e mulheres sejam "participantes da promessa em Cristo Jesus por meio do Evangelho" (Ef 3,6).

ANGELUS, PRAÇA SÃO PEDRO

SEGUNDA-FEIRA, 6 DE JANEIRO DE 2014

Vem Espírito Santo, Renova a Igreja

Como eu gostaria de encontrar as palavras certas para estimular uma época evangelizadora mais ardorosa, alegre, generosa, ousada, cheia de amor e de vida contagiante! Mas sei que nenhuma motivação será suficiente se o fogo do Espírito não arder nos corações. Em suma, uma evangelização com espírito é uma evangelização com o Espírito Santo, pois Ele é a alma da Igreja evangelizadora... Invoco uma vez mais o Espírito Santo, pedindo-lhe que venha renovar, sacudir e impelir a Igreja numa saída ousada para fora de si mesma a fim de evangelizar todos os povos.

EXORTAÇÃO APOSTÓLICA, *EVANGELII GAUDIUM*, 261
DOMINGO, 24 DE NOVEMBRO DE 2013

Capítulo Nove

~ Instrumentos de Paz e Perdão ~

"Oração da paz de São Francisco de Assis"

Senhor, fazei de mim um instrumento da vossa paz;
Onde houver ódio, que eu leve o amor;
Onde houver ofensa, que eu leve o perdão;
Onde houver dúvida, que eu leve a fé;
Onde houver desespero, que eu leve a esperança;
Onde houver trevas, que eu leve a luz;
Onde houver tristeza, que eu leve a alegria.[9]

– Autor Desconhecido,
por volta de 1915

9. "Peace Prayer of St. Francis, http://www.americancatholic.org/Features/Francis/peaceprayer.asp. Embora de espírito caracteristicamente franciscano e quase sempre atribuída a São Francisco, a Oração da Paz não foi de fato composta por ele.

A Paz de São Francisco, a Paz de Cristo

Muitas pessoas associam São Francisco à paz, o que está certo, mas poucas se aprofundam. Qual é a paz que Francisco acolheu, viveu e nos transmite? É a paz de Cristo, passada pelo amor absoluto, o amor da Cruz. É a paz que Jesus Ressuscitado deu aos discípulos quando apareceu no meio deles (cf. Jo 20,19-20).

A paz franciscana não é um sentimento piegas. Por favor, esse São Francisco não existe! E também não é uma espécie de harmonia panteísta com as energias do cosmos... Também isso não é franciscano! Não é franciscano, mas é uma ideia que alguns criaram! A paz de São Francisco é a paz de Cristo, encontrada por quem "toma sobre si" o seu "jugo", isto é, o seu mandamento:

Amai-vos uns aos outros como eu vos amei (cf. Jo 13,34; 15,12). E não se pode levar esse jugo com arrogância, presunção, orgulho, mas somente com mansidão e humildade de coração.

Voltamo-nos a ti, Francisco, e te pedimos: ensina-nos a ser "instrumentos da paz", da paz que tem a sua fonte em Deus, a paz que nos trouxe o Senhor Jesus.

HOMILIA, PRAÇA SÃO FRANCISCO, ASSIS

SEXTA-FEIRA, 4 DE OUTUBRO DE 2013

Papa Francisco@Pontifex_pt · 2 de setembro de 2013
"Queremos um mundo de paz, queremos ser homens e mulheres de paz."

A Paz Começa em Casa

O que está acontecendo no coração do homem? O que está acontecendo no coração da humanidade? É hora de parar!

De todos os cantos da terra, os que têm fé elevam neste dia as suas orações para pedir ao Senhor o dom da paz e a capacidade de levá-la a todos os ambientes. Neste primeiro dia do ano, o Senhor nos ajude a dirigirmo-nos todos com mais decisão para o caminho da justiça e da paz. E comecemos em casa! Justiça e paz em casa, entre nós. Começamos em casa e em seguida nos encaminhamos a toda a humanidade. Mas devemos começar em casa. O Espírito Santo aja nos corações, desfaça toda rigidez e dureza, e nos conceda enternecer-nos diante da fragilidade do Menino Jesus. Com efeito, a paz requer a força da mansidão, a força não violenta da verdade e do amor.

ANGELUS, PRAÇA SÃO PEDRO,
47º DIA MUNDIAL DA PAZ
SOLENIDADE DE MARIA SANTÍSSIMA, MÃE DE DEUS,
QUARTA-FEIRA, 1º DE JANEIRO DE 2014

Reagir ao Mal com o Bem, com o Perdão

Amar quem não nos ama... Não é fácil! Porque se sabemos que uma pessoa não gosta de nós, também nós somos levados a não gostar dela. Mas não! Devemos amar também quem não nos ama! Reagir ao mal com o bem, perdoar, partilhar, acolher. Graças a Jesus e ao seu Espírito, também a nossa vida se torna "pão partido" para os nossos irmãos. E vivendo assim descobrimos a verdadeira alegria! A alegria de fazer-se dom, para retribuir o grande dom que recebemos primeiro, sem merecimento nosso.

ANGELUS, PRAÇA SÃO PEDRO
DOMINGO, 22 DE JUNHO DE 2014

Papa Francisco@Pontifex_pt · 16 de janeiro de 2014
"Rezemos pela paz, e suscitemo-la, a começar dentro da nossa própria casa."

Aceitação do Conflito

O conflito não pode ser ignorado ou dissimilado; deve ser aceito. Mas se ficamos encurralados nele, perdemos a perspectiva, os horizontes se limitam e a própria realidade se fragmenta. Quando nos detemos na conjuntura conflituosa, perdemos o sentido da unidade profunda da realidade.

Diante do conflito, alguns apenas o observam e vão em frente como se nada fosse, lavam as mãos para poder continuar a sua vida. Outros se identificam de tal modo com ele que se tornam seus prisioneiros, perdem o horizonte e projetam as próprias confusões e insatisfações nas instituições, impossibilitando assim a unidade. Mas há também uma terceira forma, a mais adequada, de enfrentar o conflito: é aceitá-lo, resolvê-lo e transformá-lo em elo de ligação de um novo processo. "Bem-aventurados os que promovem a paz" (Mt 5,9).

EXORTAÇÃO APOSTÓLICA, *EVANGELII GAUDIUM*, 226-227
SEGUNDA-FEIRA, 24 DE NOVEMBRO DE 2014

Pressupostos para uma Paz Duradoura

Com a unção do Espírito, a nossa natureza humana é marcada pela santidade de Jesus Cristo e nos tornamos capazes de amar os irmãos e irmãs com o mesmo amor com que Deus nos ama. Portanto, é necessário praticar gestos de humildade, fraternidade, perdão e reconciliação. Esses gestos são pressuposto e condição para uma paz verdadeira, sólida e duradoura. Peçamos ao Pai a dádiva da unção para que nos tornemos plenamente seus filhos, cada vez mais parecidos com Cristo, a fim de nos sentirmos todos irmãos e irmãs.

HOMILIA, ESTÁDIO INTERNACIONAL, AMÃ, JORDÂNIA
SÁBADO, 24 DE MAIO DE 2014

Papa Francisco@Pontifex_pt · 18 de fevereiro de 2014
"Com Cristo, aprendamos a rezar, perdoar, semear a paz e estar perto dos necessitados."

Caminho para a Paz

Como sabeis, realizei nos dias passados uma peregrinação à Terra Santa. Foi um grande dom para a Igreja, pelo que dou graças a Deus. Ele me guiou naquela Terra abençoada, que testemunhou a presença histórica de Jesus e onde se verificaram acontecimentos fundamentais para o Judaísmo, para o Cristianismo e para o Islamismo...

Por isso, exortei os fiéis cristãos a se deixarem "ungir" pelo Espírito Santo, de coração aberto e dócil, para ser cada vez mais capazes de gestos de humildade, fraternidade e reconciliação. O Espírito permite que assumamos essas atitudes no dia a dia com pessoas de diferentes culturas e religiões, tornando-nos assim "artesãos" da paz. Faz-se a paz artesanalmente! Não existem indústrias de paz, não! Ela é feita cada dia, de modo artesanal, e com o coração aberto para acolher o dom de Deus. Foi por isso que exortei os fiéis cristãos a se deixarem "ungir".

AUDIÊNCIA GERAL, PRAÇA SÃO PEDRO

QUARTA-FEIRA, 28 DE MAIO DE 2014

Basta de Guerras!

Irmãos e irmãs, basta de guerras! Guerras, nunca mais! Penso principalmente nas crianças a quem se tolhe a esperança de uma vida digna, de um futuro: crianças mortas, feridas, mutiladas, órfãs, crianças que têm como brinquedos restos de guerras, crianças que não sabem sorrir. Detende-vos, por favor! Peço-vos de todo coração! Está na hora de parar! Detende-vos, por favor!

ANGELUS, PRAÇA SÃO PEDRO
DOMINGO, 27 DE JULHO DE 2014

Papa Francisco@Pontifex_pt · 18 de janeiro de 2014
"As guerras destroem tantas vidas! Penso de modo particular nas crianças que têm sua infância roubada!"

Redescobrir o Irmão ou Irmã

Desejo dirigir um forte apelo a todos os que semeiam a violência e a morte com o uso de armas: naquele que hoje considerais apenas um inimigo a abater, redescobri o vosso irmão ou irmã, e detende a vossa mão! Renunciai à via das armas e ide ao encontro do outro com o diálogo, o perdão e a reconciliação para reconstruir a justiça, a confiança e a esperança ao vosso redor!

MENSAGEM PARA O DIA MUNDIAL DA PAZ 2014
DO VATICANO
DOMINGO, 8 DE DEZEMBRO DE 2013

Uma Cultura do Encontro

O egoísmo e o isolamento criam sempre uma atmosfera asfixiante e pesada que mais cedo ou mais tarde acaba por definhar e sufocar. Em vez disso, faz-se necessário um compromisso de todos para favorecer uma cultura do encontro, porque só quem tem condições de ir ao encontro dos outros é capaz de dar fruto, de formar vínculos, criar comunhão, irradiar alegria e promover a paz.

Vimos uma confirmação disso – caso seja necessária – nas imagens de destruição e morte que tivemos diante dos olhos no ano que passou. Quanta dor, quanto desespero causa o fechamento em si mesmo, que pouco a pouco assume o rosto da inveja, do egoísmo, da rivalidade, da sede de poder e dinheiro! Às vezes parece que essas realidades estão destinadas a dominar. O Natal, porém, infunde em nós cristãos a certeza de que a palavra última e definitiva pertence ao Príncipe da Paz, que faz "de espadas enxadas e de lanças foices" (cf. Isaías 2,4) e transforma o egoísmo em dom de si mesmo e a vingança em perdão.

DISCURSO AOS MEMBROS DO CORPO DIPLOMÁTICO
ACREDITADOS JUNTO À SANTA SÉ,
SALA RÉGIA
SEGUNDA-FEIRA, 13 DE JANEIRO DE 2014

Papa Francisco@Pontifex_pt · 6 de junho de 2014
"A paz é um dom de Deus, mas requer os nossos esforços. Sejamos pessoas de paz na oração e na ação. #weprayforpeace."

O Heroísmo que Conduz à Paz e à Justiça

No centro de todo diálogo sincero estão, antes de tudo, o reconhecimento e o respeito pelo outro. Está de modo particular o "heroísmo" do perdão e da misericórdia, que nos libertam do ressentimento e do ódio, e abrem um caminho verdadeiramente novo. Trata-se de um caminho longo e difícil que exige paciência e coragem, mas é o único que pode levar à paz e à justiça. Para o bem de todo o povo e para o futuro dos vossos filhos, peço-vos que tenhais essa coragem.

MENSAGEM POR OCASIÃO DO PROCESSO PELO DIÁLOGO
NA VENEZUELA, DO VATICANO
QUINTA-FEIRA, 10 DE ABRIL DE 2014

O Cultivo da Planta da Paz

Quem se compromete a cultivar não deve esquecer que o crescimento depende do verdadeiro Agricultor, que é Deus. De resto, a verdadeira paz, a paz que o mundo não pode dar, é Jesus Cristo que nos concede. Por isso, não obstante os graves ataques que infelizmente ainda hoje suporta, ela sempre pode renascer. Agradeço-vos sempre porque colaborais para este "canteiro" com a caridade, que constitui a finalidade mais genuína das vossas organizações. Com a unidade e a caridade os discípulos de Cristo cultivam a paz para todos os povos e comunidades, vencendo discriminações persistentes, a começar por aquelas baseadas em causas religiosas.

DISCURSO AOS MEMBROS DAS AGÊNCIAS DE AJUDA ÀS IGREJAS ORIENTAIS, SALA CLEMENTINA

QUINTA-FEIRA, 26 DE JUNHO DE 2014

Instrumentos e Construtores de Paz

Neste lugar, onde nasceu o Príncipe da Paz, desejo fazer um convite a Vossa Excelência, Senhor Presidente Mahmoud Abbas, e ao Senhor Presidente Shimon Peres, a elevarem comigo uma fervorosa oração rogando a Deus o dom da paz. Ofereço a minha casa no Vaticano para hospedar esse encontro de oração.

Todos nós desejamos a paz; muitas pessoas a constroem dia após dia com pequenos gestos; muitos sofrem e suportam pacientemente o cansaço de tantas tentativas para construí-la. E todos – especialmente os que recebem a incumbência de servir aos seus povos – temos o dever de nos fazer instrumentos e construtores de paz, antes de mais nada na oração.

Construir a paz é difícil, mas viver sem paz é um tormento. Todos os homens e mulheres desta terra e do mundo inteiro pedem-nos que levemos à presença de Deus a sua ardente aspiração pela paz.

REGINA COELI, BELÉM
DOMINGO, 25 DE MAIO DE 2014

Levemos o Amor, o Perdão e a Unidade

Peçamos ao Senhor: Senhor, concedei-nos a graça de viver cada vez mais unidos, de nunca sermos instrumentos de divisão; fazei com que nos comprometamos, como diz uma bela oração franciscana, a levar o amor aonde houver ódio, a levar o perdão aonde houver ofensa, a levar a união aonde houver discórdia. Assim seja!

AUDIÊNCIA GERAL, PRAÇA SÃO PEDRO
QUARTA-FEIRA, 25 DE SETEMBRO DE 2013

Oração pela Conversão dos Violentos

Deus converta os violentos! Deus converta os que têm projetos de guerra! Deus converta os que fabricam e vendem armas. Deus fortaleça o coração e a mente dos operários da paz e os recompense com todas as bênçãos. O Senhor vos abençoe a todos!

DISCURSO NO ENCONTRO COM REFUGIADOS
E JOVENS DEFICIENTES
IGREJA LATINA, BETÂNIA ALÉM DO JORDÃO
SÁBADO, 24 DE MAIO DE 2014

Papa Francisco@Pontifex_pt 3 de setembro de 2013
"Condeno absoluta e firmemente o uso de armas químicas."

O Bem Comum e a Paz Social

A paz social não pode ser entendida como irenismo ou como mera ausência de violência obtida mediante a imposição de uma parte sobre as outras. Seria igualmente uma paz falsa aquela que servisse de desculpa para justificar uma organização social que silencie ou tranquilize os mais pobres, de modo que os que gozam de maiores benefícios possam manter o seu estilo de vida sem sobressaltos, enquanto os outros sobrevivem como podem. As reivindicações sociais, que envolvem a distribuição de renda, a inclusão social dos pobres e os direitos humanos, não podem ser sufocadas a pretexto de se criar um consenso a portas fechadas ou uma paz efêmera para uma minoria satisfeita. A dignidade da pessoa humana e o bem comum estão acima da tranquilidade de alguns que não querem renunciar aos seus privilégios. Quando esses valores são afetados, é necessária uma voz profética.

EXORTAÇÃO APOSTÓLICA,
EVANGELII GAUDIUM, 218
DOMINGO, 24 DE NOVEMBRO DE 2013

Papa Francisco@Pontifex_pt · 9 de agosto de 2014
"Violência não se vence com violência. Senhor, enviai-nos o dom da paz. #prayforpeace."

Com a Guerra, Tudo se Perde

Transcorre amanhã o centenário do início da Primeira Guerra Mundial, que causou milhões de vítimas e destruições imensas. Esse conflito, que o papa Bento XV definiu como um "massacre inútil", levou, depois de quatro longos anos, a uma paz ainda mais frágil. Amanhã será um dia de luto com a lembrança daquele drama. Enquanto lembramos esse trágico acontecimento, almejo que não se repitam os erros do passado, mas sejam lembradas as lições da história, fazendo sempre prevalecer as razões da paz mediante um diálogo paciente e corajoso.

Lembremos que tudo se perde com a guerra e nada se perde com a paz!

ANGELUS, PRAÇA SÃO PEDRO
DOMINGO, 27 DE JULHO DE 2014

A Verdadeira Paz não é Uma Bela "Fachada"

A verdadeira paz – bem o sabemos – não é um equilíbrio entre forças opostas. Não é uma bela "fachada" por trás da qual persistem contrastes e divisões. A paz é um compromisso de todos os dias, mas a paz é artesanal, realiza-se a partir do dom de Deus, da graça que nos deu em Jesus Cristo.

Vendo o Menino no presépio, Menino de paz, pensamos nas crianças que são as vítimas mais frágeis das guerras, mas pensamos também nos idosos, nas mulheres maltratadas, nos doentes... As guerras dilaceram e ferem tantas vidas!

URBI ET ORBI, SACADA DA BASÍLICA DE SÃO PEDRO
NATAL, QUARTA-FEIRA, 25 DE DEZEMBRO DE 2013

Papa Francisco@Pontifex_pt · 6 de setembro de 2013
"Todos os homens e mulheres de boa vontade estão unidos pelo compromisso de promover a paz. #prayforpeace."

Oração pela Paz

O mundo é uma herança que recebemos dos nossos antepassados, mas é também um empréstimo a nós feito por nossos filhos, filhos que estão cansados e extenuados pelos conflitos e ansiosos por alcançar a aurora da paz; filhos que pedem que derrubemos os muros da inimizade e percorramos a estrada do diálogo e da paz para que triunfem o amor e a amizade.

Muitos, muitos desses filhos caíram vítimas inocentes da guerra e da violência, plantas arrancadas em pleno vigor. É dever nosso fazer com que o sacrifício deles não seja em vão. A memória desses filhos infunda em nós a coragem da paz, a força de perseverar no diálogo a todo custo, a paciência de tecer dia a dia a trama cada vez mais robusta de uma convivência respeitosa e pacífica, para a glória de Deus e o bem de todos.

Tentamos tantas vezes e durante tantos anos resolver os nossos conflitos com as nossas forças e também com as nossas armas; tantos momentos de hostilidade e escuridão; tanto sangue derramado; tantas vidas dilaceradas; tantas esperanças sepultadas... Mas os nossos esforços foram em vão.

Agora, Senhor, ajudai-nos Vós! Dai-nos Vós a paz, ensinai-nos Vós a paz, guiai-nos Vós para a paz. Abri os nossos olhos e o nosso coração e dai-nos a coragem de dizer: "guerra, nunca mais!"; "a guerra tudo destrói!" Infundi em nós a coragem de realizar gestos concretos para construir a paz.

Senhor, Deus de Abraão e dos Profetas, Deus de Amor que nos criastes e chamais a viver como irmãos, dai-nos a força para sermos cada dia artesãos da paz; dai-nos a capacidade de olhar com benevolência todos os irmãos ou irmãs que encontramos no nosso caminho. Tornai-nos disponíveis para ouvir o grito dos nossos cidadãos que nos pedem que transformemos as nossas armas em instrumentos de paz, os nossos medos em confiança e as nossas tensões em perdão.

Mantende acesa em nós a chama da esperança para fazer com paciente perseverança opções de diálogo e de reconciliação, para que vença finalmente a paz. E que do coração de cada homem sejam banidas estas palavras: divisão, ódio, guerra! Senhor, desarmai a língua e as mãos, renovai os corações e as mentes, para que a palavra que nos leve a encontrar-nos seja sempre "irmão", e o estilo da nossa vida se torne: Shalom, Paz, Salam!

Amém!

INVOCAÇÃO PARA A PAZ, JARDINS DO VATICANO

DOMINGO, 8 DE JUNHO DE 2014

Capítulo Dez

~ Respeitar e Proteger a Criação ~

Louvado sejas, meu Senhor,
com todas as tuas criaturas.
Especialmente pelo senhor nosso irmão, o Sol,
que nos dá os dias e com o qual nos iluminas.
Ele é belo e radiante, com grande esplendor.
De Ti, Altíssimo, é a imagem.
Louvado sejas, meu Senhor, por nossa irmã, a Lua,
e pelas estrelas que formaste no céu,
claras, preciosas e belas![10]

10. "O Cântico das Criaturas." *Omnibus*, pp. 130-31.

O Testemunho de São Francisco

Francisco inicia assim o Cântico das Criaturas: "Altíssimo, onipotente, bom Senhor... Louvado sejas... com todas as tuas criaturas". O amor por toda a criação, pela sua harmonia! O santo de Assis dá testemunho de respeito por tudo o que Deus criou e pelo modo como criou. Francisco não faz experiências com a natureza, destruindo-a, mas ajuda-a a crescer, a ser mais bela e mais semelhante à criação divina. Acima de tudo, ele dá testemunho de respeito por tudo, de que o homem é chamado a proteger o homem, de modo que o homem esteja no centro da criação, no lugar onde Deus – o Criador – o quis. Não instrumento dos ídolos que nós criamos! A harmonia e a paz! Francisco foi homem de harmonia e de paz. Daqui, desta Cidade da Paz, repito com a força e a mansidão do amor: respeitemos a criação, não sejamos instrumentos de destruição!

HOMILIA, PRAÇA DE SÃO FRANCISCO, ASSIS
SEXTA-FEIRA, 4 DE OUTUBRO DE 2013

A Dádiva da Natureza

A família humana recebeu do Criador uma dádiva em comum: a natureza. A visão cristã da criação envolve um juízo positivo sobre a licitude das intervenções na natureza para dela tirar proveito, desde que se atue responsavelmente, isto é, reconhecendo a "gramática" inscrita nela e utilizando com sabedoria os recursos para benefício de todos, respeitando a beleza, a finalidade e a utilidade dos diferentes seres vivos e a sua função no ecossistema.

Em suma, a natureza está à nossa disposição, e nós somos chamados a administrá-la com responsabilidade. Em vez disso, muitas vezes somos levados pela ganância, pela arrogância de dominar, de possuir, de manipular, de desfrutar; não cuidamos da natureza, não a respeitamos, não a consideramos como uma dádiva gratuita pela qual devemos zelar e colocar a serviço dos irmãos, incluindo as gerações futuras.

MENSAGEM PARA O DIA MUNDIAL DA PAZ 2014,
DO VATICANO
DOMINGO, 8 DE DEZEMBRO DE 2013

Papa Francisco@Pontifex_pt · 19 de março de 2013
"Guardemos um lugar para Cristo em nossa vida, cuidemos uns dos outros e zelemos amorosamente pela criação."

O Nosso Verdadeiro Tesouro

Quando uma pessoa descobre Deus, o verdadeiro tesouro, abandona um estilo de vida egoísta e procura partilhar com o próximo a caridade que procede de Deus. Quem se torna amigo de Deus, ama os irmãos, compromete-se a proteger a vida e a saúde desses irmãos e respeita o meio ambiente e a natureza.

HOMILIA, PARQUE DO PALÁCIO REAL DE CASERTA
SÁBADO, 26 DE JULHO DE 2014

Preservar a Criação para Gerações Futuras

O trabalho deve ser combinado com o cuidado da criação, para que ela seja preservada com responsabilidade para as gerações futuras. A criação não é uma mercadoria a explorar, mas uma dádiva a proteger. O próprio compromisso ecológico é ocasião de novas profissões nos setores a ele ligados, como os da energia, da prevenção e eliminação das diversas formas de poluição, da vigilância sobre incêndios do patrimônio florestal, e assim por diante. Que a proteção da criação e a proteção do homem com um trabalho digno sejam um compromisso de todos! Ecologia... e também "ecologia humana!"

DISCURSO AOS TRABALHADORES, LARGO CARLO FELICE, CAGLIARI
DOMINGO, 22 DE SETEMBRO DE 2013

Papa Francisco@Pontifex_pt · 14 de novembro de 2013
"Cuidai da criação de Deus, mas acima de tudo dai atenção aos necessitados."

Contemplação da Bondade da Criação

No primeiro capítulo do Gênesis, precisamente no início da Bíblia, põe-se em evidência que Deus se compraz com a sua criação, destacando repetidamente a beleza e a bondade de cada coisa. Ao fim de cada dia, está escrito: "Deus viu que isso era bom" (1,12;18.21,25): se Deus vê que a criação é boa, é bela, também nós devemos assumir essa atitude e ver que a criação é boa e bela. Eis a dádiva da ciência, que nos faz ver essa beleza. Portanto, louvemos a Deus, dando-Lhe graças por nos ter concedido tanta beleza. E quando Deus terminou de criar o homem, não disse "que era bom", mas que era "muito bom" (v. 31). Aos olhos de Deus, nós somos a realidade mais bela, maior e melhor da criação: os próprios anjos estão abaixo de nós; somos mais do que os anjos, como ouvimos no livro dos Salmos. O Senhor nos ama!...

Tudo isso é motivo de serenidade e de paz e faz do cristão uma testemunha jubilosa de Deus, a exemplo de São Francisco de Assis e de muitos santos que souberam louvar e cantar o seu amor por meio da contemplação da criação.

AUDIÊNCIA GERAL, PRAÇA SÃO PEDRO
QUARTA-FEIRA, 21 DE MAIO DE 2014

Guardiões do Próximo e do Meio Ambiente

Eu gostaria de pedir, por favor, a todos os que ocupam cargos de responsabilidade nos âmbitos econômico, político e social, a todos os homens e mulheres de boa vontade: sejamos "guardiões" da criação, do desígnio de Deus inscrito na natureza, guardiões do próximo e do meio ambiente; não deixemos que sinais de destruição e de morte acompanhem o caminho deste nosso mundo! Mas para "guardar" devemos também cuidar de nós mesmos! Lembremos que o ódio, a inveja, o orgulho conspurcam a vida! Guardar significa então manter vigilância sobre os nossos sentimentos, o nosso coração, porque é precisamente dele que saem as boas e as más intenções: as que constroem e as que destroem! Não devemos ter medo da bondade, e tampouco da ternura!

HOMILIA, PRAÇA SÃO PEDRO,
MISSA INAUGURAL DO PONTIFICADO,
SOLENIDADE DE SÃO JOSÉ
TERÇA-FEIRA, 19 DE MARÇO DE 2013

Se Destruirmos a Natureza, Ela nos Destruirá!

A natureza não é uma propriedade de que podemos dispor a nosso bel-prazer; menos ainda, não é uma propriedade de alguns apenas, de poucos: a natureza é uma dádiva, um presente maravilhoso que Deus nos deu para que cuidemos dela e a utilizemos para benefício de todos, sempre com grande respeito e gratidão...

Devemos proteger a natureza porque ela é uma dádiva que o Senhor nos concedeu, um presente de Deus a nós; somos seus guardiões. Quando exploramos a natureza, destruímos o sinal do amor de Deus. Destruir a natureza é dizer a Deus: "não me agrada". E isso não é bom; isso é pecado.

Preservar a natureza é precisamente preservar a dádiva de Deus; é dizer a Deus: "Obrigado, sou guardião da natureza, mas para fazê-la prosperar, não para destruir a tua dádiva". Essa deve ser a nossa atitude em relação à natureza: preservá-la, pois se a destruirmos, ela nos destruirá!

AUDIÊNCIA GERAL, PRAÇA SÃO PEDRO
QUARTA-FEIRA, 21 DE MAIO DE 2014

A Terra é a Nossa Casa Comum

Uma fé autêntica – que nunca é cômoda nem individualista – implica sempre um profundo desejo de mudar o mundo, de transmitir valores, de deixar algo melhor depois da nossa passagem pela Terra. Amemos este magnífico planeta onde Deus nos colocou; amemos a humanidade que o habita, com todos os seus dramas e fadigas, com os seus anseios e esperanças, com os seus valores e fragilidades. A Terra é a nossa casa comum, e todos somos irmãos.

EXORTAÇÃO APOSTÓLICA, *EVANGELII GAUDIUM*, 183
DOMINGO, 24 DE NOVEMBRO DE 2013

Papa Francisco@Pontifex_pt · 5 de junho de 2013
"A preservação da criação não é algo que Deus mencionou nos primórdios da história: Ele a incumbe a cada um de nós como parte do seu plano."

O Escândalo da Fome no Mundo

De modo particular, o setor agrícola é o setor produtivo primário com a vocação vital de cultivar e proteger os recursos naturais para alimentar a humanidade. Nesse aspecto, a persistente vergonha da fome no mundo me impele a partilhar convosco a pergunta: Como estamos usando os recursos da terra? As sociedades atuais devem refletir sobre a hierarquia das prioridades quanto ao destino da produção. De fato, é um dever imperativo que os recursos da terra sejam utilizados de modo tal que todos fiquem livres da fome. As iniciativas e soluções possíveis são muitas, e não se limitam ao aumento da produção. É mais do que sabido que a produção atual é suficiente; não obstante, há milhões de pessoas que sofrem e morrem de fome, o que constitui um verdadeiro escândalo. Por isso, é necessário encontrar formas para que todos possam se beneficiar dos frutos da terra, não só para evitar que se amplie o fosso entre os que têm mais e os que devem contentar-se com as migalhas, mas também e sobretudo por uma exigência de justiça e equidade e de respeito para com cada ser humano.

MENSAGEM PARA O DIA MUNDIAL DA PAZ 2014,
DO VATICANO DOMINGO, 8 DE DEZEMBRO DE 2013

A Custódia da Criação

Estamos profundamente convictos de que o futuro da família humana depende também do modo como soubermos proteger, com sabedoria e amor, com justiça e equidade, a dádiva da criação que Deus nos confiou. Por isso, reconhecemos arrependidos a exploração injusta do nosso planeta, verdadeiro pecado aos olhos de Deus. Reafirmamos a nossa responsabilidade e obrigação de fomentar um sentimento de humildade e moderação, para que todos sintam a necessidade de respeitar a natureza e protegê-la com cuidado. Juntos, afirmamos o nosso compromisso de despertar as consciências com relação à custódia da criação; apelamos a todos os homens e mulheres de boa vontade a encontrarem modos de viver com menos desperdício e mais sobriedade, manifestando menos ganância e mais generosidade para a proteção do mundo de Deus e para benefícios do seu povo.

DECLARAÇÃO CONJUNTA DO PAPA FRANCISCO E DO PATRIARCA ECUMÊNICO BARTOLOMEU I, JERUSALÉM
DOMINGO, 25 DE MAIO DE 2014

Canais para a Ação Divina

Eis o convite que dirijo a todos: acolhamos a graça da Ressurreição de Cristo! Deixemo-nos renovar pela misericórdia de Deus, deixemo-nos amar por Jesus, deixemos que o poder do seu amor transforme também a nossa vida; e tornemo-nos instrumentos dessa misericórdia, canais através dos quais Deus possa irrigar a terra, proteger toda a criação e fazer florescer a justiça e a paz.

URBI ET ORBI, SACADA DA BASÍLICA DE SÃO PEDRO
DOMINGO DE PÁSCOA, 31 DE MARÇO DE 2013

Editor: Adilson Silva Ramachandra
Editora de texto: Denise de Carvalho Rocha
Gerente editorial: Roseli de S. Ferraz
Produção editorial: Indiara Faria Kayo
Assistente de produção editorial: Brenda Narciso
Editoração Eletrônica: Estúdio Sambaqui
Revisão: Claudete Agua de Melo

PRÓXIMOS LANÇAMENTOS

Editora
Pensamento
SÃO PAULO